SCOTTIS

A Scots
Parliament

A Scots
Parliament

JAMES ROBERTSON

Acknowledgements

This book cudna hae been written athoot the help o the historians warkin on the Scottish Parliament Project at the University o St Andrews: Professor Keith Brown, Dr Alastair Mann, Dr Pamela Ritchie an Dr Roland Tanner. In particular, I wid like tae thank Dr Tanner for his guidance an advice. While aw the opinions expressed in these pages are mine, an ony mistakes an omissions mine tae, I widna hae kent whaur tae begin athoot his help.

James Robertson *Kettlebrig, Fife, June 2002*

First published 2002

by Itchy Coo

A Black & White Publishing and Dub Busters Partnership

ISBN 1 902927 43 5

Text copyright © James Robertson 2002
The following illustrations are courtesy of the Scottish National Portrait Gallery: Sir Walter Scott by Sir William Allan p. 95, Mary, Queen of Scots (Execution) by an unknown Dutch artist p. 40, James VI & I by Arnold van Bronckhorst p. 44, and Oliver Cromwell p.81; James I p. 26, James II p. 33, and James IV p. 35 are by artists unknown. The following photographs are courtesy of: Scotsman Publications Ltd, pp. 2, 52, 106, 109, 112 and 114; the Scottish Parliament website (www.scottish.parliament.uk), p.122

The following images are courtesy of the Stirling Smith Collection: William Wallace, artist unknown c.1870, after a drawing by the Eleventh Earl of Buchan, p.19, Bruce and de Bohun by John Duncan (1866-1945), p.20, Stirling in the time of the Stuarts c.1660 by Johannes Vosterman (1643-99) with figures by Thomas van Wyck (1616-77), p.46, The Baptism on the Hillside by Sir George Harvey PRSA (1806-76), p.51, football c.1540, p.54, howling wolf by Owain Kirby, p.56, Robert Burns, anonymous portrait, probably painted c.1859, p.93, Prince Charles Edward Stewart by Cosmo Alexander (1724-72), p.99, National Wallace Monument, p.100.
The photograph of the performance of the 2000 & 3 Estaites production of 'The 3 Estaites' on p.37 is reproduced courtesy of Marc Marnie (Stagefright Photography) and Elaine Robertson (designer).

Map of the Scots Settlement in America by Herman Moll reproduced by permission of the Trustees of the National Library of Scotland

The right of James Robertson to be identified as the author of this work has been asserted by him in accordance with the Copyright, Designs and Patents Act 1988.

British Library Cataloguing in Publication data: a catalogue record for this book is available from The British Library.

Scottish
Arts Council
LOTTERY FUNDED

Printed and bound by Book Print SL

Contents

Introduction

This book tells the story o Scotland's Parliament frae its medieval origins tae the present day. It shaws hoo its pooers developed, hoo arguments atween it an the Croon baith strenthened an weakened it at different times, hoo it cam tae vote itsel oot o existence in 1707, an hoo, three hunner year later, the people o Scotland voted tae hae it back again.

The book looks at the modren Parliament tae – whit pooers *it* has an whit its relationship is wi the Parliament at Westminster. Ye'll find examples taen frae the Acts o the *auld* Parliament tae shaw that it wis an important institution an had a gey influence on hoo folk lived oot-throu the land. That in turn mibbe gies a sense o hoo important tae Scottish lives the *new* Parliament is. Haein a parliament lookin efter the country's ain affairs isna something remote an irrelevant, but something aw Scotland's citizens hae an interest in. Efter aw, the decisions the new Parliament maks affect the haill population, jist as the decisions o the auld yin did in the centuries afore 1707.

But a book like this canna dae mair nor scart the surface. Maist Scottish people dinna ken muckle aboot the auld Parliament, forby the fact that it perished itsel in 1707. This book is a stertin-pynt, a wey intae the past that micht also gie a perspective on the present an the future. But it disna set itsel oot tae be onything mair nor thon.

An it cudna hae been written at aw athoot the help o some historians that howk mair deeply intae the past nor maist o us iver dae. These historians are pairt o the Scottish Parliament Project.

The Scottish Parliament Project

The project wis set up in 1997 wi government siller, an is based at the University o St Andrews. Its aim is tae create a new digital edition o the Acts o the pre-1707 Scottish Parliament. Led by Professor Keith Brown, a team o researchers has been reddin up this edition as an important historical resource. It will be published on CD-ROM an on the internet.

This isna the first time the Acts o the Scottish Parliament hae been pit intae prent. They were gaithered thegither in the mid-19th century by historians Thomas Thomson an Cosmo Innes an published in twal muckle volumes. But that edition disna contain aw the Acts, some o which were ainly discovered mair recently. There is also a reenge o ither relevant documents that gie a guid insicht intae the actual warkins o the Parliament, an these are bein includit in the new edition.

But there are fower ither reasons for needin a new edition. First, the Victorian edition has a fair few mistakes in it. Saicont, whaur the Acts are scrievit in Latin, French or medieval Scots Thomson an Innes providit nae translations, sae ye hae tae be a scholar tae be able tae read them. Third, it is prentit in a special typeface cried *Record Type*, which reproduces aw the special merks an abbreviations o the auld manuscripts. Finally, the volumes are wechty an awkward tae haunle. These things mak the Victorian edition awmaist unreadable unless ye're a skeelie academic, an even some historians hae a wheen o difficulties wi them.

The new edition will appear in the early life o the *new* Scottish Parliament. It is therefore a link atween the past, the present an the future. It will be an important record o Scotland's history, an it will be available in electronic form an therefore yaisable by non-historians as weel as historians, an by folk no jist in Scotland but oot-throu the warld.

The Language o this Book

Ye'll see a wheen o different spellins in the follaein pages, but dinna be pit aff by this. In the auld days lang afore computers, lang afore typewriters an even afore prentin-presses, when scribes an clerks were copyin awthing oot by haun, they didna hae ony dictionars or spellcheckers tae help them if they didna ken hoo tae spell a word. Whiles they yaised the examples o ither clerks, whiles they had their ain spellin system, an whiles they didna hae a system at aw.

Sae yin o the things ye'll come tae unnerstaun is that the language o the Parliament, like the language o the country as a haill, has aye been shiftin an slidderin aboot: up until 1424, the Acts were aw scrievit in Latin (an example o yin o these is gien on p.21), syne they were maistly scrievit in Scots, an by the 1600s the language yaised wis maistly English. Ye'll see this reflectit in the contents o this book.

There a few historical reasons why Scots hasna settled doon yet in the wey it spells aw its words. English didna hae a uniform spellin system till modren times either. Yin difference atween the twa languages wis that English continued tae be the official language o England, while Scots didna continue as the official language o Scotland. English took ower there as weel. When James VI gaed sooth tae inherit the English Croon in 1603, the Scottish Coort gaed wi him an learned tae speak English. The Union o the Parliaments in 1707 pit the hems on ony possibility that Scots micht survive in official, political discoorse, altho it survived elsewhaur, sic as in the Scottish law coorts, whaur mony o the maist senior judges in the Coort o Session made a pynt o speakin braid Scots richt doon tae the end o the 18th century. But even there, as a *written* language, Scots had awready fawn oot o yaiss.

Lang afore 1707, in fact, Scots wis lossin the battle wi English, no in the mooths o the ordinary people, but on paper. Awa back in 1543, when the bairn Mary wis Queen, an Act o Parliament alloued the Bible tae be translatit oot o Latin intae a language that the common folk cud unnerstaun:

It is statut and ordanit that it salbe lefull to all our sovirane ladyis liegis to haif the haly write, baith the new testament and the auld, in the vulgar toung in Inglis or Scottish of ane gude and trew trans-latioun, and that thai sall incur na crimes for the hefing or reding of the samin ...

The 'vulgar toung' cud be either 'Inglis or Scottish'. There were yin or twa Scots translations o this maist important book, but it wis an English version, the sae-cawed 'Authorised' or King James version o 1611, that wan oot an became the standard. It wis read or listened tae ivery day, or at least several times a week, by the haill population.

For aw thir reasons, Scots wis less an less yaised in prentit warks, in education, religion, law an administration. An this wis jist as true o the Scottish Parliament.

Even the wey folk pit doon the word for the institution itsel chynged frae time tae time: whiles it wis *parliament*, whiles *perlement*, whiles *pairlament*. In this book, tae keep things simple, the word appears the wey it's best-kent tae us the-day – *parliament*.

Yin o the things ye can dae wi whit ye read in the follaein pages is trace some o the weys the vocabulary o written Scots, an its spellin, has altered ower the centuries. There are kittlie words that appear several times, sic as *forsamekill*, that micht whummle ye tae begin wi. It means 'for as much as' an is a kind o filler yaised tae introduce a new law. It's the same wi *ordanyt,* which is also spelt *ordanit* an *ordainit,* an jist means 'ordained' or 'ordered'. Dinna try tae look up ivery word like this that ye're no shair o. Try readin the Acts oot lood, an ye'll micht be surprised hoo much o the meanin ye can wark oot yince ye're yaised tae the wey the words look. Hauf the difficulty is the mixter-maxter o spellins. For example, ye'll find words beginnin wi *quh-* like *quhat, quhair* an *quhile* that look gey weird: but that's jist the auld form o *wh-,* an if ye pronoonce thae words wi that soond ye'll suin wark oot *whit* they are.

Sae dinna tak the spellins ye see in the Acts o Parliament as models for hoo tae spell Scots words the-day. Yaise a modren Scots dictionar (there are several in prent) if ye're no shair, or yaise this narrative as a guide. Ye can also visit Itchy Coo's website at www.itchy-coo.com for mair information on spellin maitters.

The Auld Scottish Parliament – Weak or Strang?

For mony years, the common historical view aboot the auld Scottish Parliament wis that it wis smerghless an servile tae the Croon: that yin king efter anither yaised it as a rubber-stamp o their authority; or, when a king wis weak, that it wis bullied an coongered by whitiver faction o the nobility held political pooer. This view wis maist strangly argued in the 1920s by Robert S. Rait, Professor o History at the University o Glesca an Historiographer Royal for Scotland. Professor Rait saw the Parliament at Westminster as the finest example o a parliament in the warld – 'perhaps the greatest English contribution to the development of civilisation', he cried it. Westminster is sometimes cried the 'mither o parliaments' – a model for parliaments in ither countries. By contrast, Rait thocht, the Scottish Parliament had been fou o 'defects' an wis ower aften in the grip o men that yaised it for their ain ends -- as if naebody that sat at Westminster iver had onything ither than the guid o the nation at hert! In ither words, Rait concluded, it wis jist as weel, an certainly the best thing for Scotland, when its Parliament wis incorporatit intae the English yin in 1707.

Professor Rait wis writin an thinkin when the British Empire wis still at its heicht, an this nae doot influenced his view. The island o Britain had needit tae be politically united an at peace at hame afore the British Empire cud really flourish abroad, sae the Scottish Parliament had had tae be abolished. For Rait, it follaed that the Parliament must hae been a puir shilpit thing compared wi Westminster.

Nooadays, historians tak a faur mair positive view o the auld Scottish Parliament. They compare it no jist wi the

Parliament o England but wi ither like institutions oot-throu Europe, an they argue that it performed as weel, if no better, nor maist o them. In the period frae 1300 tae 1600, kings aw ower Europe were daein their best tae mak themsels mair pooerfu, an ettled tae ding doon ony opposition tae that aim. Historians the-day tend tae argue that the auld Scottish Parliament wis gey successfu at opposin Scottish kings when they behaved like this. Whit looked tae Professor Rait like constitutional weakness wis in fact a system o checks an balances that warked weel for lang periods o history.

Origins

The first time the term 'parliament' wis recordit in Scotland wis 1235. But whaur did the Scottish Parliament actually come frae? Hoo did this institution, sae central tae the democracy o a modren country, come intae existence in an age that didna hae ony notion o democracy? Hoo did it growe frae its earliest form intae the pooerfu body it wis by the end o the 17th century, an is again the-day?

Ye cud as weel ask, whaur did *ony* parliament come frae, in whit's cried the Middle Ages. The answer is quite simple: in maist European countries, frae folk claimin possession o large areas o land throu war an inter-tribal fechtin, an oot o alliances atween rich an strang faimlies wi their ain private airmies, a roch political structure emerged. At the heid o this structure wis a king – a chiel whase faimly, mibbe by chance, mibbe by strenth o airms, had gotten itsel intae position as yin o the richest or maist pooerfu o them aw. In pairt as a wey o bringin some stability tae daily life, this man's richt tae rule the country wid, maistly, be accepted by the ither muckle men o the land.

Whaur Parliaments cam frae

But nae king, hooiver strang, cud rule for lang if he didna keep at least *some* o thae men on his side. He had tae hae regular meetins wi them, tell them whit he wis daein an persuade them that it wis no jist for the guid o the haill country but also in their ain interests tae agree wi him. In return, he had tae tak their advice an be willin tae compromise tae get his wey. Aften he needit siller frae them, for example tae spend on defendin the country frae foreign invasion, or mibbe tae invade some ither country. He cudna jist tak this siller. That wid likely stert a rammy. He had tae persuade them tae gie it ower. This wis a gey fykie business, an it didna aye wark oot the wey the king wantit.

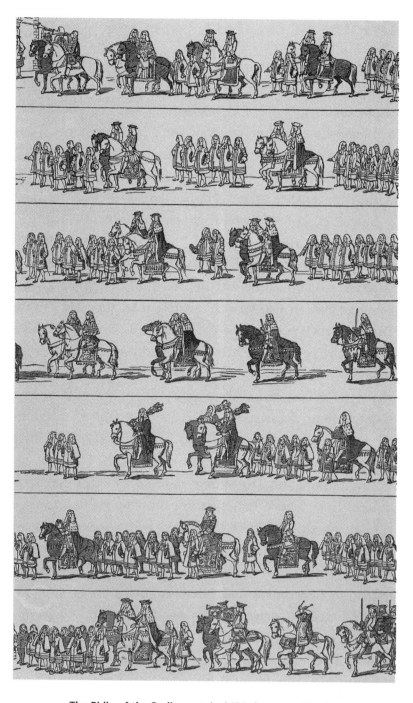

The Ridin of the Parliament, in 1685, frae an auld print

The Three Estates

A medieval parliament, as the historian Roland Tanner has pit it, 'took place in a room in which all the most wealthy and powerful men of the realm sat together to discuss issues of common interest'. Wha were these men? (An it wis ayewis men, by the wey: women didna get a look-in on hoo a country wis governed, unless by chance a king had nae sons an therefore a dochter inherited the Croon – for in European societies titles an gear aye passed doon the male line first. But that wis aften the signal for aw the men tae stert joukin aboot tryin tae influence her, mairry her or get shot o her.) The *Thre Prestis of Peblis*, a poem datin frae the 1480s, has thir lines intil it, that mibbe gie us a clue:

> A King thair was sumtyme and eik [also] a Queene,
> As monie in the Land befoir had bene.
> This King gart set ane plane Parliament,
> And for the Lords of his kinrik [kingdom] sent;
> And for the weilfair of his Realme and gyde
> The thrie Estaits concludit at that tyde.
> The King gart cal to his Palace al thrie
> The Estaits, ilkane in thair degrie.

The poem gangs on tae tell us wha thir Estates wis:

> The Bishops first with Prelats and Abbottis,
> With their Clarks servants and Varlottis ...

Nixt the King brocht in 'al the Lords of his Land' an 'ludgit' them in anither chaumer, an finally, in yet anither chaumer, 'he harbourit al his Burgessis rich and bene [weel-aff]'.

Sae the Three Estates were made up o the high-heid-yins o *kirk, nobility* an *burghs*. The First Estate wis made up o the kirkmen or prelates – bishops an abbots, that presided ower rich lands an buildins, like the cathedrals at Glesca an St Andrews or the abbeys at Melrose or Arbroath, an looked efter the country's religious affairs. The Saicont Estate wis made up o the King's 'tenants-in-chief'. They were dukes, earls, lords an barons that bade in castles, owned muckle pairts o Scotland, an had immense pooer in their ain domains, whether these were in Gallowa or Lothian, Fife or the Hielands. They received service an rents frae the puirer folk aroond them, an haundit oot a roch sort o justice in the lands whaur they had owerance. The Third Estate didna begin tae get invited tae jyne the ithers until the reign o Robert I (Robert the Bruce) in the 1320s. It wis made up o representatives frae the royal burghs, important touns like Embro, Stirling, Perth, Aiberdeen, St Andrews an Inverness. The cooncil in each burgh wid foregaither afore a Parliament wis due tae meet, an select yin or twa bodies tae gang tae the Parliament an look efter the toun's affairs.

There's yin important pynt, hooiver, whaur, in Scottish terms, the poem The *Thre Prestis of Peblis* isna richt, even tho it's a Scottish poem. In Scotland, aw three Estates met in the yin place, sittin roond a chaumer on three sets o benches. This wis gey different frae, for example, the English Parliament, whaur there has aye been twa Hooses, the Commons an the Lords (the Bishops o the Church o England sat wi the Lords, an still dae). In Scotland, awbody wis unner the same ruif. As Andrew Fairservice, a character in Sir Walter Scott's novel *Rob Roy*, pit it, 'In puir auld Scotland's Parliament they aw sate thegither, cheek by choul, and than they didna need tae hae the same blethers twice ower again.' An that has

Kirk, barons an burghs

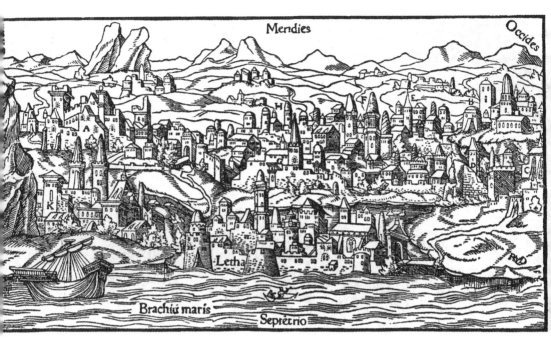

Medieval Edinburgh: an image frae Münster's *Cosmographia*, 1550

remained the case wi the modren Scottish parliament, whaur for example Lord James Douglas Hamilton an Lord Watson sit alangside Tommy Sheridan an aw the ither MSPs as elected members o the yin body.

The division o the Parliament intae three pairts wis meant tae represent aw the people o Scotland. O coorse, there wis naething like a democratic election, but when the King met his Parliament he wis still meetin wi representatives o the haill nation – whit folk cried the *body politic*. This wis an important idea: even in thae days, the King wisna supposed tae act like a tyrant or a dictator. The King was the *heid* o the body politic but, it wis widely thocht, he should act ainly wi the help an advice o the *limbs* o the body – the First, Saicont an Third Estates, since whit the heid decided wid affect the haill

The body politic

body. When the King summoned this clanjamfrie o individuals thegither as a Parliament, he micht want tae play yin faction aff against anither, curry favour wi this noble in order tae keep that yin in order, an the like, but by aboot the 1440s some Scots were thinkin that the King should ainly act *efter* takkin Parliament's advice, an no chynge the Acts that it passed.

Anither pynt is that the Parliament didna meet jist in the yin place. It met in different pairts o the country, aften dependin on whaur the King himsel wis bidin at the time. The Estates had tae wait tae be summoned by the King – they didna meet as a richt. But yince they were assembled, they had a say in whit wis decided, supposedly in the best interests o the realm.

Maist o the time, forty days' notice wis gien, tae allou folk tae traivel frae the furthest corners o the kingdom. But in an emergency, the King micht no be able tae wait that time, an wid jist caw a Cooncil o a few members o the Parliament – the nearest yins or the yins he trustit maist. Even in normal times, the King didna aye depend on Parliament for advice. He had his ain close advisers aroond him, the Privy or Secret Cooncil. Suiner or later, tho, ony king wis gaun tae hae tae summon the haill Parliament.

Nae King? Whit Nixt?

But whit happened if there wisna a king tae summon onybody? This wis the situation in 1286, when King Alexander III, ridin his horse alang the Fife coast at nicht, fell ower a cliff at Kinghorn an wis killt. His heir wis his grandochter, Margaret, but she wis ainly three year auld an bidin in Norway at the time. The Scots had tae think fast whit tae dae, for they had a neebor in the form o Edward I o England lookin tae expand his ain possessions. The Scots cawed a Parliament, an it wis this Parliament that sat doon an warked oot the negotiations wi Norway tae enable the return o the infant princess. Sadly Margaret, or the Maid o Norway as she wis kent, deed in Orkney on her wey hame, but the pynt is that Parliament met on this occasion no at the summons o a king, but in the *absence* o a king.

Alexander III killt at Kinghorn

In the lang warsle wi England that follaed, when Scotland established its independence first wi Sir William Wallace as Guairdian, syne unner King Robert I, the importance o haein a Parliament remained tae the fore in Scottish minds. Even while these fierce an bluidy wars were ongaun, Parliaments were still held. Yince he had defeated the English at the Battle o Bannockburn in 1314, Robert I aften yaised Parliament tae bigg up support for his rule. Efter aw, his richt tae be king wis based on gey shooglie grund – at yin time he had focht on the English side *against* Wallace, an he had stertit aff on the road tae the vacant

William Wallace (?1270-1305), by an unkent artist(c.1870)

Bannockburn 1314

Robert Bruce whummles the English knight Edward de Bohun afore
Bannockburn. Efterwards, Bruce is said tae hae girned, "I hae broken
my guid aix". Pentit by John Duncan in 1914 for a Glesca Corporation
art competition tae mark the 600th anniversary o the battle

throne by murderin a rival, John Comyn, in a kirk in
Dumfries. Yet he developed the notion o 'the community o
the realm' which socht tae establish that the King an his
subjects had better staun thegither or they wid faw apairt
the nixt time there wis trouble wi England. Yaisin a phrase
like 'community o the realm' encouraged the idea that
awbody had an *interest* in hoo the country wis rin, an that
in turn gart folk think that they should hae a *say* in hoo it
wis rin. Parliament wis yin place whaur these things cud be
discussed.

Here is an extract frae an Act o yin o Robert's Parliaments (1318). It's in Latin (the language aw official documents were scrievit in at this time):

Item: Dominus rex statuit et defendit quod nullus sit conspirator nec inventor narracionum seu rumorum per quos materia discordie oriri poterit inter dominum regem et populum suum Et si quis talis inventus fuerit et attaintus statim capiatur et mittatur ad prisonam regis et ibi salvo custodiatur quousque dominus rex mandaverit de ipso voluntatem suam

An noo here it is translatit intae Scots:

Item: The lord king statutes an forbids that naebody sall be a conspirator nor a clype nor the author o clishmaclaivers that micht

Mak Siccar

Robert Bruce an John Comyn baith jyned wi William Wallace tae fecht against Edward I's occupation, an baith were Guairdians o Scotland durin the years atween Wallace's victory at Stirling Brig in 1297 an his defeat at Falkirk. They were aye fawin oot wi each ither, hooiver – wan time at Peebles, Comyn tried tae thrapple Bruce. Afore the Battle o Falkirk in 1305, baith men chynged sides an made their peace wi Edward, but in 1306 Bruce decided tae mak a bid for the Scottish Croon. He met wi Comyn at the Greyfriars Kirk in Dumfries, tae see if Comyn wid support him, but they had anither argument. Bruce took oot a gully an chibbed Comyn. Syne, accordin tae a weel-kent story, he gaed ootside whaur his freen Sir Roger Kirkpatrick wis waitin on him. 'I doot I hae killt him,' Bruce said. 'Dae ye doot it?' Kirkpatrick said. 'I'll mak siccar.' An he gaed intae the kirk, fund Comyn lyin bleedin in front o the altar, an feenisht him aff.

gar the lord king an his people faw oot yin wi ither. An if ony sic
body is fund an convictit, he sall strauchtwey be taen an pitten in
the king's jyle, an keepit there till the lord king decides whit tae
dae wi him.

It wis oot o ideas like this that the great document the
Declaration o Arbroath (1320) grew.

The Declaration o Arbroath (1320)

This wis a letter addressed tae Pope John XXII, drawn up by
the Abbot o Arbroath Abbey, an witnessed wi the seals o eicht
earls an 31 barons o Scotland. The letter set oot the historic
claims tae independence o the kingdom o Scotland. It wis
gey important tae win the spiritual approval o Rome: this wis
lang afore the Reformation, an Rome wis the principal source
o Christian authority in Western Europe.

Efter tracin the existence o the Scottish nation back tae
the Middle East via Spain (legend had it that the Scots' forbeirs
were an Egyptian princess cried Scota an her Greek guidman
Gathelos), the letter tells hoo the Scots settled in their present
hameland, an focht tae keep it for centuries, first drivin oot
the Britons an Picts, syne gainstaunin the attacks o baith
Vikings an English. Scotland, it says, wis at peace till Edward
I o England invaded an occupied the country, doon-thringin
the people wi fire an slauchter, theft an imprisonment. But
at last, unner the leadership o King Robert I, the Scots had
regained their freedom. Then follaes the best-kent passage o
the Declaration:

By the grace o God, by the richt o succession, by thae laws an
mainners that we are determined tae defend even wi oor lives, an
by oor ain just consent, he [Robert] is oor prince an king; an because

he has brocht us salvation by hainin oor liberties, we haud an choose, baith throu his ain merits an his richts, tae be thirled tae him. Yet if he himsel should turn awa frae whit he has stertit, an gie either the kingdom or oorsels intae the hauns o the English king or people, we wid herry him oot frae amang us as oor enemy, as the subverter o baith oor richts an his ain, an pit anither in his place tae guaird oor liberty; for sae lang as a hunner o us bide alive, we will niver naewise knuckle tae English rule. We fecht no for glory, no for gear an gowd, no for honours; we fecht ainly for freedom, that nae guid man losses but wi his life.

Sae the Declaration wisna jist sayin that the Scots wid niver gie in tae the English. It wis sayin that if Robert Bruce or some king efter him decided tae haun Scotland ower tae England, the Scots wid get rid o him, an appynt anither king. In the Middle Ages, this wis an unco wey tae think aboot kingship. Maistly, people thocht kings were chosen by God, an awbody else jist had tae thole whitiver choice God made. The idea that if ye had a bad king ye cud pit him oot wi the bins seems awmaist democratic, an ower the centuries mony folk, readin the Declaration, hae been steired by its passion an patriotism, an come tae believe that it sets oot the *sovereignty* o the Scottish people, that is, their richt tae choose wha rules them.

In fact, altho the letter wis 'signed' by aw thae earls an barons, it wis redd up by order o King Robert himsel. The Declaration's claim that it wis scrievit by the barons jist wisna true. Robert gart them pit their seals on the document whether they wantit tae or no. Some historians even think that it wis because they were that affrontit at haein tae dae this that some o them rose up in rebellion a few months efter. Whether this is richt or no, the Declaration is a guid medieval example o whit we wid cry *spin* or *propaganda*. The main aim wis tae impress the Pope an gie international credibility tae Robert Bruce.

But in anither wey aw that didna maitter. Later generations read the Declaration athoot kennin aboot Robert's joukerie-pawkerie. They took the Declaration tae mean exactly whit it said: that the Scottish people, especially throu Parliament, had the richt tae tell the King whit tae dae. In the 16th century, thinkers an leaders like George Buchanan an John Knox pit these ideas intae practice. It wis on this principle that Mary Queen o Scots wis deposed in 1567. An in mair modren times, politicians fechtin for a new Scottish Parliament aften mentioned the Declaration as a precedent. It's gey weird tae think that the 'democratic' ideas expressed in the Declaration o Arbroath were set doon on the instruction o a king wha wis nae democrat, but jist wantit tae send oot a bit o international propaganda!

The idea o kingship wis held in great esteem in this period o history. Athoot a king at its heid, a country wis seen as weak, an wis likely tae be slavered ower by ambitious kings in neeborin countries. But that didna mean that ivery individual that happened tae hae the croon on his napper wis held in sic esteem. Pairtly takkin tae hert the message o the Declaration o Arbroath, the Scottish Parliament, ower an ower again, shawed that it wisna blate aboot criticisin the monarch.

Resistin the Croon

David II wis Robert the Bruce's son, an succeedit him on the throne in 1329 at the age o five. But David wisna as successfu a patriot as his faither had (eventually) turned oot tae be. David had been captured by the English efter the Battle o Neville's Cross in 1346 an spent eleiven year as a prisoner in Lunnon, tho he seems tae hae fair enjoyed the easy life there. When he cam back, doonhauden wi a heavy ransom that had tae be peyed aff, he tried several times tae set up a union o the Scottish an English croons by settlin the Scottish succession on yin o the English King's younger sons. Parliament widna hae ony o this. When it met at Scone, near Perth, in 1364, it tellt him he wis oot o order an threw the plan oot. As the chronicler Andrew Wyntoun pit it:

Parliament pits David II in his place

> *To that said all his lieges Nay*
> *Na thai consent wald be na way*
> *That ony Ynglis mannys sone*
> *In to that honore suld be done ...*

David wisna happy, but he cudna dae ocht aboot it if the Estates werena willin.

There were ither occasions, tae, when the Scottish Parliament made it clear that it wisna satisfied wi the competence o the King, an laid doon the law as tae hoo he should conduct his affairs. In 1399, for example, the King wis Robert III: no a bad man, but a gey feeble king whase officials didna administer the laws weel. The Parliament had this tae say:

> *It is deliverit that the misgovernaunce of the Realm and the defaut*
> *of the keping of the comoun law sould be impute to the King and*

his officeris. And theirfoir gif it likis our lord the King til excuse his defautis, he may at his liking gar call his officeris to the quhilkis he hes giffen commissioun, and accuse thaim in presence of his consail. And thair ansuer herd, the Consail sal be redy to judge thair defautis syn na man aw to be condampnit quhile [till] he be callit and accusit.

Parliament pit the blame for the sair state o the country squarely at the door o the King an his officers. If the King wantit tae say it wisna *his* faut, he should pynt the finger at his officers, an the Cooncil wid syne hear whit *they* had tae say. This wis a richt gallus wey for ony Parliament tae speak tae ony king in the 14th century.

Some while efter this, there wis a new king on the throne. This wis James I, Robert's saicont son. When James wis a twal-year-auld lad, his faither pit him on a ship an sent him tae France. Robert wis fashed aboot James's safety, since his first

James I taen by pirates

son had deed – or been murdered – a few year afore, an he thocht it wid be wice tae get James oot o Scotland. But the ship wis captured by pirates an James wis haundit ower tae the King o England. This wis in 1406. He spent the nixt eichteen year as a prisoner in Lunnon, afore the Scots agreed tae pey a ransom o £40,000 (a huge sum in thae days) an he wis alloued tae return tae his ain kingdom in 1424.

James I wis determined tae mak Scotland a safer, mair law-abidin

James I

place. He yince said, 'Wi God's help, if he grant me life, even if it be the life o a dug, I will gar the key keep the castle an the bracken bush keep the coo' – meanin that he wantit tae mak folk respect the property o ithers an no steal their beasts. But there wis a wee bit mair tae it than that: James wantit tae mak the Croon, an therefore himsel, as strang as possible, sae that the weak government o his faither's reign widna happen again. This wisna gaun tae be popular amang aw the Scottish nobles, since mony o them had taen the chance, while James wis in England, tae mak themsels intae wee kings in their ain localities.

At the first Parliament efter his return, held at Perth, James passed several laws tae strenthen his position. For example:

> *Item: It is statut and ordanyt that na man opinly or notourly rebell aganis the kyngis persone under the payne of forfatour of life landis and guidis.*

He also wantit tae stop folk ridin aboot the country causin mayhem an anarchy wi their private airmies:

> *Item: it is statut that na man of quhat estate degre or condicioun he be of rydande or gangande in the cuntre leide nor haif ma [mair] personis with him na [than] may suffice him or till his estate and for the quihilkis he will mak full and redy payment. And gif ony complaynt be of sik ridaris or gangaris the kyng commandis his officiaris of the lande that quhair thai happin to be till arest thame ...*

Parliament accepted maist o the laws that James wantit pitten in place, because it cud see the benefits tae the country, an tae themsels, o mair law an order. But James had been impressed, while in England, by the fact that English kings seemed tae get a regular annual supply o taxation frae their Parliament as a maitter o coorse. He thocht the English Parliament wis a saft touch, an he wantit the same for himsel noo he wis hame, pairtly tae pey aff that £40,000 ransom, pairtly because it wid gie him mair freedom tae dae as he pleased.

James I brings order to Scotland

This wisna likely tae gang doon weel in the Scottish Parliament. The custom in Scotland wis that if the King wantit siller, he had tae speir for it, an he had tae explain whit he wantit it for. Scotland wis ower puir a country tae vote a steady flow o siller tae the Croon. In 1424 James wis voted a generous amoont by the Parliament, but in later years the Estates began tae resent the huge sums he wis speirin. He wis supposed tae be peyin aff his ransom, but in fact wis buyin himsel the finest plenishins for his hooses, an biggin himsel a braw palace at Linlithgow. By 1428 Parliament had had enough, an widna vote him mair siller. James niver did pey aff the ransom.

An even bigger stushie took place in October 1431, when James wantit siller tae send an airmy intae the Hielands, tae subdue some wild clans there that were giein him a sair heid.

A kist wi fower locks

He summoned a Parliament tae Perth, an the Estates, recognisin the urgency o the situation, grantit him a contribution o ten pence in the pund 'for the resisting of the king's rebel-louris in the northe lande'. The tax wis tae be delivered by February 1432. Fower men were appyntit as auditors tae receive the siller at St Andrews. But the Estates didna trust the King. The siller wid be pit in a kist wi fower locks, an each o the fower auditors wid keep yin key each, sae it cud ainly be opened wi the consent o them aw:

... and that kist to remayn in the castel of Sanctandrois under keping of the bischop and the priour. Ande in case that pece beis made in the meyn tym this contributione sal remayn under the samyn keping in depose to the commone profit and use.

In ither words, if the emergency wis ower by the time the tax wis ingaitherit, the King wisna tae get it jist tae spend on mair luxuries. James wis beelin. He refused tae agree tae these terms, an sae the planned tax wis abandoned an niver collected.

Near the end o his reign, relations atween the Croon an the Estates got even worse. James wisna feart at yaisin extreme force when he needit tae exert his authority, an this gart some o his subjects hate him. At this time Roxburgh Castle in the Borders wis occupied by an English garrison, an James had tried, an failed, tae capture it. In October 1436 he socht mair siller frae Parliament tae lead an airmy intae England. Yin accoont says that he spak wi great arrogance an widna admit that he micht hae done onything wrang in the campaign at Roxburgh up tae then. Efter he'd feenisht his rant, Sir Robert Graham, a leadin opponent o the King, spak up on behauf o the Estates (he had said he wid dae this on the promise frae his fellow nobles that they wid support him). Graham accused the King o tyranny. Accordin tae an English writer cried John Shirley, Graham

Parliament tries tae arrest the King

aros upp with a grett corrage, and with a violent and irows chere and countenaunce, sette handes uppoun the king his soverayne lorde, saying these wordes: 'I arest you, sir, in the name of the three astattes here nowe assembled in the present Perlement, for right as your liege peple ben bounden and sworne to obeye unto your mageste roialle, in the same wyse bee ye sworne and enseured your peple to kepe and governe your lawe.'

Braw words, an an awfie risky act, tae set aboot a king an try tae arrest him! Unfortunately for Graham his freens didna dae as they'd promised, but sat on their hauns an goaved doon at the flair in silence. James went radge. He mairched twa hunner sodgers intae the chaumer an had Graham arrestit insteid. The Estates got the message an voted him the siller.

Kate Bar-the-Door

James I wis steyin in his ludgin o the Blackfriars at Perth when the conspirators that wantit tae kill him acted, on 21 February 1437. They had broken the locks on aw the doors an taen awa the muckle bars yaised tae keep them shut, sae that when they breenged intae the royal chaumers that nicht naebody wid be able tae prevent them. The King wis wi his wife an her maid-servants when he heard his enemies comin for him. He tore up some o the wuiden flair an hid doon in the syver that ran unner the chaumer. In fact he micht hae been able tae escape oot o the syver tae the ootside, but only three days earlier he himsel had ordered that the tither end o it be stappit up because he kept lossin his tennis baws in it.

Meanwhile the women ettled tae stop the assassins getting at him. The historian Hector Boece recordit the famous tale o yin o the lassies, Kate Douglas:

'And in the menetyme...ane young maidyn, namit Kathren Douglas...steikit the dure; and because the greit bar was hid away be ane traitor of thair opinioun, scho shott hir arm into the place quhair the bar sould haif passit; and because scho was bot young, hir arm was sone brokin all in sondre, and the dure dongin up by force, throw quhilk thay enterrit, and slew the King with mony terribill woundis.'

On accoont o her brave but futile act, she has been kent iver sinsyne as Kate Bar-the-Door.

In this instance Parliament gied in tae the King's demands, but James didna hae lang tae relish his victory. Jist fower month later, he wis brutally murdered at Perth by a conspiracy o nobles seik-scunnered wi his authoritarian weys. Yin o the main men involved in the plot wis Sir Robert Graham.

James I murdered at Perth

The Lords o the Articles

For maist o its history the auld Parliament had a committee within it cried the Lords o the Articles. If ye pit a hunner-odd folk thegither in yin place, it can whiles be fykie tae get awbody tae agree, especially on complicated maitters like taxation, the value o coinage or organisin an airmy tae defend the border. The idea ahint the Lords o the Articles wis tae simplify procedures an mak it easier tae reach decisions. If ye appyntit, say, twal men tae wark oot the fine detail o an Act, syne got the haill Parliament thegither jist tae vote on it, this wid save time an effort.

This wis hoo the Lords o the Articles developed. In the 1450s James II passed a wheen o Acts anent currency values an exchange rates. Mony folk fund these subjects ower complex, an were happy tae haun ower the draftin o the Acts tae the new committee. The Lords o the Articles were that guid at sortin oot money maitters, hooiver, that Parliament suin began tae gie them the haill job o turnin the 'articles' (the leet o business afore it) intae feenisht Acts.

This system warked weel for mony decades, but the monarchs o Scotland saw a chance tae control Parliament throu the Lords o the Articles. James VI, for example, saw that if he cud pack the committee wi his ain supporters, especially men frae his ain Privy Cooncil, it wid ainly create Acts that he wantit. In 1584 the Lords o the Articles stertit tae sit in secret session, which meant that the rest o the Parliament cudna see whit decisions they were makkin, an this helped James tae. But even still, he fund it hard tae get enough o his ain allies ontae the committee tae control it. It wisna until 1606, by which time James wis awa tae Lunnon, that ivery single yin o the King's nominees wis accepted intae the Lords o the Articles.

In Charles I's reign(1625–49), this happened mair an mair, sae it's nae surprise tae find the forces opposed tae Charles decidin that the ainly wey tae mak shair that Parliament had a free vyce, wis tae suspend the Lords o the Articles. An that wis whit happened, in 1639–40. When the monarchy (an the Scottish Parliament) wis restored in 1660 (see below, p.82), yin o the first things that wis brocht back an aw wis the Lords o the Articles. Eventually, in 1690, efter the 'Glorious Revolution' (see below, p.83) the Croon lost this lang warsle when the committee wis abolished for the last time.

It wis because o these events in the 17th century that mony historians yaised tae think that the influence o the Lords o the Articles on the Scottish Parliament wis aw bad. They argued that it made the Parliament weak an unable tae resist the Croon's demands. But, as we hae seen, for maist o its history this wisna the case. The Lords o the Articles maistly did the dreich an taiglesome job o draftin Acts gey weel. It wis a pragmatic arrangement tae let Parliament get throu its business. For exactly the same reason, at present baith the Westminster Parliament an the new Scottish Parliament yaise committee systems that arena aw that different.

The Empire Strikes Back

By 1445 Parliament wis that shair aboot its ain pooers that it gart James II promise no tae alter its Acts at aw. James II wis jist fifteen, an the Three Estates wantit tae mak siccar that he niver gied them the kinna grief that they had had frae his faither. They gart him sweir an aith 'nother to eike nor mynisshe (neither tae add tae nor diminish) the statuts of the realme withoot the consent of the three estaits, and nathing to wyrke na use touching the comon profitt of the realme bot [withoot] consent of the three estaitts'. In ither words, James agreed no tae chynge the laws nor dae onything else that micht affect the haill realm withoot speirin Parliament first.

Ten year on, in 1455, Parliament gaed further, an tellt James II that 'the poverte of the Crowne is oftymis the cause of the poverte of the realme and mony uther inconvenientis'. Whit they meant wis, if the King had nae siller in his pooches, he wid aye come rinnin tae the people for mair taxes. Parliament tellt James no tae gie awa his lands, siller an castles as gifts, or *patronage*, tae his supporters, but tae haud on tae them an pey his ain expenses, sae he wid niver hae tae tax his people as his faither had. Parliament, at this period, wis a gey strang body.

James II

But James, an the kings that cam efter him, didna tak kindly tae bein tellt whit tae dae by Parliament, an began tae think up weys o winnin back the pooer that they had tint. In 1460 James II, like his faither afore him, wis layin siege tae Roxburgh Castle, when a cannon he wis staunin ower near tae, blew up an killt him. His son, also cried James, became King. In 1469 James III declared that he had 'fre impire' in Scotland, meanin that naebody but he had ultimate pooer in the kingdom. It's weird tae think o Scotland as an empire! This idea can be seen reflected in pictures o the King on coins: on his heid is an airched imperial croon. There wis a fashion, tae, for pittin imperial croons on kirks. Twa examples o this still exist – on St Giles Kirk in Embro an on King's College Chapel, Aiberdeen. Even the royal coat o airms wis re-designed tae shaw that the King's pooer wis total.

No that this did James III ony guid. He wis croose an heich-heidit an this made him a wheen o enemies, especially amang his ain faimly – his brither an sisters, his uncles an even his wife didna seem tae muckle like him. Wan thing that got richt up folk's nebs wis that he aye wantit tae raise taxes, but wis ower lazy tae sort oot problems o law an order. Insteid, he wid tell murderers an ither crimi-nals that he wid let them aff bein punished if they gied him siller. Aw throu the 1470s an 1480s Parliament tellt James no tae cairry on this wey, but he didna pey them ony heed. When war bruk oot wi England in 1482, Parliament had tae tak ower the defence o the kingdom, even pittin folk that were the King's enemies in chairge o the Borders castles. Parliament wis noo rinnin the country: some o the nobles even arrestit James at Lauder Brig an keepit him as a prisoner at Embro. James steyed on as King till 1488, when his ain son

King's College Chapel, Aiberdeen, tappit wi its imperial croon

The Flooers o the Forest

The Battle o Flodden, jist ower the Border in Northumberland, wis a disaster for Scotland. No jist King James IV but an archbishop, ten earls an coontless barons an lairds, forby at least five thoosan sodgers, were killt. Thae losses later inspired Jean Elliott (1727–1805) tae set words tae the hauntin auld tune that is kent the warld ower as a lament for the war deid, 'The Flooers o the Forest':

I've heard them liltin at oor yowe-milkin,
Lasses a-liltin before dawn o day;
Noo they are moanin on ilka green loanin:
'The Flooers o the Forest are aw wede away.'

James IV

(suin tae be James IV) rose against him an defeated him in battle at Sauchieburn, by Stirling. James III wis killt.

It cud be argued that James III ended up getting malafoostered in battle because he wis ower glaikit tae listen tae the advice o his Parliament. But the Stewart kings that follaed him took his ideas o imperial pooer a sicht further, an wi mair success. James IV an James V tendit no tae fash wi compromises or accommodations, an they had a wheen less bather frae Parliament nor their predecessors.

This growth in royal pooer can be seen frae the fact that James IV, yin o the maist successfu kings Scotland iver had, hardly summoned Parliament at aw atween 1496 an his daith in 1513. He'd warked oot that getting awbody in the yin place wis mair trouble than it wis worth, as there wis nae kennin whit they micht try tae tell him tae dae. Insteid he jouked aroond the need tae summon Parliament by no speirin for big taxes, but gaitherin his income throu wee-er, indirect taxes that didna need Parliament's consent. An he yaised his Cooncil tae mak the sort o decisions that Parliament wid hae *James IV killt* made afore. James IV's only mistake, tho, wis a muckle yin: *at Flodden* he invaded England in 1513 an got himsel killt at the Battle o Flodden.

His son James V, wha wis king frae 1513 tae 1542, follaed the example o his faither, an didna rin intae ower mony difficulties wi his Parliament. For the maist pairt, it cud be said that Parliament wis becomin less important in the 1500s. But naebody seemed tae mind ower muckle, as baith James IV an James V ruled the country gey weel.

Ane Satyre of the Thrie Estaitis

The maist kenspeckle play tae come oot o Scotland at ony time afore the 20th century wis *Ane Satyre of the Thrie Estaitis*, a piece o political drama scrievit by Sir David Lindsay (c.1486–1555), a poet at the coort o King James V. The play is in twa acts, an concerns Rex Humanitas (King Humanitie) an the three Estates o his kingdom–Spiritualitie (the clergy), Temporalitie (the nobility) an Merchand (the burgesses). In the first act, the young King prays tae be an eident ruler, but is divertit frae his guid intent by pleisure-seekin coortiers Wantonness, Placebo an Solace. They introduce him tae Dame Sensualitie, an she seduces him wi her chairms, sae that he taks his ee aff the job o rulin. Gude Counsall is exiled frae the coort, an the Vices Flatterie, Falset an Dissait, disguisin theirsels as Devotion, Sapience an Discretion, tak chairge, an persuade the King tae pit the Virtues Veritie an Chastitie in the stocks. Aw this is a satire on corruption at coort, an it taks the appearance o Divyne Correctioun tae redd things up an gar the King summon his three Estates tae a Parliament.

In the saicont act, the Estates are shawn tae be aw taigelt an feckless: they enter the stage backarts, tae signify their puir moral condition. Rex Humanitas annoonces his desire tae dicht up the politics o the nation:

> *My prudent Lordis of the Thrie Estaits,*
> *It is our will abuife all uther thing*
> *For to reform all them that maks debaits*
> *Contrair to the richt, quhilk daylie dois maling [act wickedly],*
> *And thay that dois the Common-weill doun thring [suppress].*

Martin Butler as Sandy Solace, David Hunter as King Humanity, Andrew Laughton as Chill-oot an Alastair Sim as Wantonness in the 2000 & 3 Estaites Millennium production o Alan Spence's verson o Sir David Lindsay's *Satyre*. The play, directed by John Carnegie an designed by Elaine Robertson, wis performed in Cupar in 2000, whaur it had been first staged in 1552 (photo © Marc Marnie)

Johne the Common-weill enters, attacks the corrupt Estates
an speirs at the King tae protect the puir. He unmasks the
Vices an they are pit in the stocks (an later Falset an Dissait
are hingit, tho Flatterie gets awa), an the Estates are pit on
trial. The nobility an burgesses promise tae reform theirsels,
but Lindsay's harshest words are agin the clergy, whase greed,
hypocrisy an haunlessness are hauden up tae be ridiculed.
When Gude Counsall examines Spiritualitie, it turns oot he
has niver even read the Bible:

Gude Counsall: *Schir, red ye never the New Testament?*
Spiritualitie: *Na, sir, be him that our Lord Jesus sauld,*
I red never the New Testament nor Auld,
Nor ever thinks to do, sir, be the Rude [Cross]:
I heir freiris [friars] say that reiding dois na gude.

At the end o the saicont act a sermon summarises the lessons
tae be learned. The play maks mony serious political pynts
but it is fou o farce, colour an special effects as weel (when
Falset is hingit, the stage direction says, 'Heir sall he be heisit
up ... and ane craw or ane ke [jackdaw] salbe castin up, as it
war his saull').

The play as we ken it the-day wis first performed in 1552
on Castlehill in Cupar, Fife, an twa year later at Greenside in
Embro. It wis published in 1602, but wisna performed again
till 1948, when it wis produced at the Embro Festival. It has
been staged several times sinsyne, maist recently in 2000,
when a new version by Alan Spence wis performed on the
original site at Cupar.

The 'Reformation Parliament'

When James V deed suddenly in 1542, the heir tae the throne wis his dochter Mary, a bairn jist six days auld. Scottish politics in Mary's reign wid be dominated by twa things: wha the young Queen wid mairry, an religion.

Parliament appyntit James Hamilton, Earl o Arran, as Regent. He wis tae govern Scotland on Mary's behauf till she wis in her twalt year (that is, when she wis eleiven, when she wid be considered auld enough tae mak decisions as Queen, even tho she wid still need advisers). Arran favoured the Reformed or Protestant faith that wis growein in many pairts o Europe, an wi the Three Estates' support he introduced Acts that repealed anti-heresy laws an alloued the Bible tae be prentit an read in English (see p.9). At this time a war wis bein focht wi England but Arran an the Parliament brocht it tae an end wi the Treaties o Greenwich in 1543. The maist important item in these treaties wis the proposed mairriage o Mary, Queen o Scots, tae Prince Edward, son o Henry VIII o England.

Hooiver, no awbody in Scotland wis gleg tae see this mairriage tak place. Maist Scots were still Catholic, an even some Protestants were cannie aboot the idea o a royal union wi England, *the Auld Enemy*. Mary's mither wis a Frenchwoman, Marie de Guise. She wis against the haill idea an persuaded Arran tae chynge his mind. Six month efter approvin them, the Scottish Parliament renunced the Treaties o Greenwich.

Marie de Guise

Henry VIII wis wuid wi rage, an sent airmies intae the sooth o Scotland tae force the Scots tae honour the treaties – a period o bluidy war that wis kent as the *Rough Wooing*. Scotland had tae turn tae France for help. These twa countries had a lang history o warkin thegither against England, in whit wis cried

Mary Queen o Scots' execution in 1587

The Auld Alliance *the Auld Alliance.* The French sent a muckle body o sodgers tae help the Scots defend their land. As a result, Mary's mairriage tae Prince Edward o England wis aff an she wis betrothed insteid tae Francois, the Dauphin or heir tae the French throne. In 1548, at the age o six, Mary gaed tae live wi her future husband, also a bairn, in France. Naebody really thocht she wid iver come back.

In 1554 Marie de Guise became Queen Regent an ruled Scotland on behauf o her absent dochter. Altho Marie wis a Catholic, at first she wis tolerant o the Reformers an didna persecute them. In return, they tholed the close alliance wi Catholic France, even tho they werena that keen on it. But the Protestant nobles, tae be on the safe side, had jyned thegither as a group – the Lords o the Congregation – an pledged tae defend an mainteen 'the true faith'. This wis a wice move, because in 1559 Marie's policy chynged.

Elizabeth, dochter o Henry VIII's saicont wife Ann Boleyn, wis noo Queen o England, but France an the wider Catholic warld didna recognise Elizabeth's richt tae the throne because she wis, in their view, illegitimate. (Henry had divorced his first wife, Catherine o Aragon, in order tae mairry Ann Boleyn, an had broken awa frae Rome when the Pope widna sanction the divorce.) Marie de Guise wantit tae promote her dochter Mary's claim tae the English throne, but tae dae this she had tae mak Scotland a strictly Catholic country yince mair. The Lords o the Congregation were fashed: it wisna jist that they favoured Elizabeth – noo they cud see their ain safety unner threat. At this pynt the great Protestant preacher John Knox, that had been in exile in Europe, returned tae Scotland an jyned forces wi the Protestant lords. Knox preached a fierce sermon at Perth in May 1559, attackin the 'idolatry' o the Catholic Church, an a mob gaed on the randan, malafoosterin kirks an monasteries. The Reformation rebellion had begun.

John Knox preaches at Perth

The Lords o the Congregation didna win muckle support at first, sae they had tae pent themsels as patriots ettlin tae free Scotland frae the doonhaud o the French. This got Elizabeth o England on their side, but it wisna till the daith o Marie de Guise in June 1560 that the Protestants felt mair certain that they were gaun tae succeed. They summoned the Three Estates tae a Parliament, an this convened in Embro on 1st August 1560. It passed a haill set o Acts abolishin papal

John Knox (c.1514-72),
preacher an Reformation leader

authority, bannin the celebration o Mass an repealin aw anti-Protestant legislation. This Parliament, noo kent as the 'Reformation Parliament', turned Scotland intae a Protestant kingdom.

But altho Protestantism wis noo the established faith, no awbody in Scotland became a Protestant, an there were suin arguments atween the different groupins o Protestants. Scotland's religious fate wid be focht ower for mony decades tae come. Altho the Reformation Parliament seemed tae settle the religious question, in fact it didna sort it at aw.

This Parliament wis byordinar for the nummer o lairds that cam in support o the Lords o the Congregation. Mair nor a hunner lairds traivelled tae be in Embro in August 1560, an while some o them were convinced Protestants ithers cam in the hope that their votes micht be a wey o getting haud o some o the Catholic Church's lands.

Mary returned tae Scotland frae France in 1561 efter the daith o her husband Francois, an the nixt six year wis a time fou o civil war, murder, plots an intrigues. In pairt this wis because Mary wis aye claucht atween twa religious pynts o view – the Protestantism o mony o her advisers, includin John Knox, an her ain Catholicism. She niver had strang control ower her Cooncil, an she mairrit twa men that didna hae the best interests o either her or Scotland at hert.

The first o these men, her kizzen Henry, Lord Darnley, managed tae scunner baith Mary an maist o the nobility wi his arrogance an his plans tae become King in his ain richt. They had a son James, but this wisna enough tae win Darnley ony freens. He wis murdered in 1567 when the hoose ootside Embro whaur he wis steyin wis blawn up wi gunpooder – his corp wis fund in the gairden wi signs that he had been thrappled.

Darnley blawn up wi gunpooder

Three month later Mary mairrit James Hepburn, the Earl o Bothwell, wha had awmaist certainly been involved in the daith o Darnley. Bothwell wis even mair o a disaster for Mary: the Scottish nobility cudna thole him, an he had tae flee abroad tae Norway whaur he wis pit in the jyle an deed eleiven year efterhaun.

The Lords o the Congregation noo reckoned that Mary cud niver be trustit tae mak a guid Queen, sae they forced her tae abdicate in favour o her son James. She raised an airmy in a last effort tae regain her authority but wis defeated at Langside (on the soothside o Glesca) an had tae flee ower the Border intae England.

Efter she had gane (niver tae return – she spent nine year in various castles afore Elizabeth had her heidit in 1587), the Scottish Parliament felt a need tae assert that awthing it had done back in 1560 wis perfectly legal. Since the Reformation Parliament hadna been summoned by the monarch, it wisna really a legitimate assembly. In theory, nane o the Acts it passed wis valid. This is why, efter Mary wis deposed in 1567, Parliament re-enacted aw the legislation passed in 1560.

Mary Queen o Scots forced intae exile

James VI: God's Sillie Vassal

Efter the abdication o Mary, her son James VI wis made King. But James wis ainly a bairn – as his mither had been when she succeedit *her* faither – an sae the government o the country wis in the hauns o his guairdians. A Regent wis appyntit tae rule on his behauf but there wis muckle fechtin atween factions aw gleg tae get control o the young King. At yin time, in the early 1570s, as mony as six different parliaments were cawed, ilk yin claimin tae be the ainly genuine yin. They met in haste an aften wi airmed guairds tae hain them frae attack. In 1571, the five-year-auld James made whit seemed a wice observation aboot yin o these meetins:

James VI as a bairn

Then Parliaments war haldin on baith sydis; the Regents Parliament was haldin at Sterling, and the Queynis Parliament was haldin in Edinburgh ... In Sterling, the King being convoyit to the Parliament hous, and set at the burde [table], be fortune he espyit a hole in the burdecloth; so that as yung childer are alwayis unconstant and restles, he preissit to attene to the hole with his fingar, and askit of a Lord wha sat nar by him to know what hous that was; and he answerit that it was the Parliament hous. 'Then,' said the King, 'this parliament hes a hole into it.'

James niver forgot the strife an uncertainty o his bairnheid. He had a strict Protestant education at the hauns o his tutor George Buchanan, wha believed, like John Knox an ithers, that nae monarch wis ony better than anither man in the sicht o God. Buchanan taught that the people had the richt tae get rid o a bad king, even by killin him if they had tae. James niver forgot that either, or whit had happened tae his mither. When he wis an adult, a nummer o conspiracies an attempts tae abduct or even kill him, took place. Aw this tendit tae mak him want tae rule Scotland in his ain wey, withoot haein tae jink an jouk aroond the wishes or threepins o Parliament or ower pooerfu nobles. Mair nor ony Scottish monarch afore him, James tried tae control his Parliament by packin the Lords o the Articles (see p.31) wi his ain freens, an by settin the agenda for whit business wis tae be dealt wi.

But the group that maist scunnered James wis the Presbyterian ministers, that noo had a ticht grup on the Kirk. They saw it as their duty an richt tae tell the King he wis a mere mortal an no tae forget it. The leadin minister in the 1590s wis Andrew Melville, famous for cryin James 'God's sillie vassal'. 'Sillie' in thae days meant *dwaiblie* or *weak*, no *foolish*, but that probably didna mak James feel he wis bein peyed a compliment when Melville cornered him:

> *Mr Andro boir doun and utterit the commissioun as from the michtie God, calling the King bot Goddis sillie vassal, and taiking him be the sleive, sayis this ... 'Sir, we will humblie reverence Your Majestie alwayis, namelie in publict: but sen we haif this occasioun to be with Your Majestie in privat, and the truth is, ye ar brocht in extreim danger baith of your lyf and croun ... we maun dischairge our dewtie thairin or els be traitoris, baith to Christ and yow.*

'God's sillie vassal'

*'And thairfoir, Sir, as divers tymis befoir, sa now again, I maun
tell yow, thair is twa kingis and twa kingdomis in Scotland. Thair
is Christ Jesus the King, and His kingdom the kirk, quhais subject
King James the saxt is, and of quhais kingdom [he is] nocht a king,
nor a lord, nor heid, bot a member.'*

Scotland, Melville wis sayin, wis God's kingdom, an James,
tho he wis a king, wis nae better nor ony ither man in God's
een. Melville gaed on tae say that James wis surroondit by
'devilische and pernitious' advisers, an that he really ocht tae
listen tae the likes o Melville insteid. Atween bein cleekit by
the sleeve, an bein tellt he wis jist a member o Christ's Scottish

Stirling in the time o the Stewarts, by Johannes Vosterman
an Thomas van Wyck (c.1660)

kingdom, James wis maist pit oot. This wis yin o the reasons he preferred tae hae bishops, men that he appyntit, rinnin kirk affairs, an no ministers wi sic a guid conceit o themsels.

Sae when he inherited the Croon o England frae Elizabeth in 1603 (for hoo this cam aboot, see p.79) James cudna wait tae get on the road sooth. Atween then an his daith in 1625, he cam hame ainly yince. He tried no tae let the Scottish Parliament meet ower aften, an he ruled the country throu his Privy Cooncil an bishops (in spite o the pooer o the Presbyterians, bishops had niver been abolished an James strenthened their role). He wid hae likit tae bring aboot closer connections atween England an Scotland, mibbe even a parliamentary Union, but opinion in baith countries probably widna hae tholed thon. Still, James wis gey pleased wi the wey he wis able tae manage affairs frae Lunnon: 'Here I sit and govern Scotland with my pen,' he said. 'I write and it is done; and by the Clerk of the Council I govern Scotland now, which others could not do by the sword.'

Unfortunately, he wis jist storin up bather for his son Charles I, wha had nae experience or kennin o Scotland an nae idea whit a wasp-byke it cud be if he stertit proggin it.

James VI gangs sooth

Revolution

In the reign o Charles I, Scotland's religious divisions cam tae a heid. James VI had brocht episcopacy back in on tap o presbyteries in the Kirk, but Charles tried tae impose a mair Anglican (English) system o rule whaur pooer wid shift awa frae presbyteries (the Kirk coorts made up o ministers an elders that had jurisdiction at local level) an intae the hauns o the bishops (wha were appyntit by the Croon). Maist o the Kirk didna want this, an the Covenanters (see p.49) were even mair scunnered by the reforms since their aim wis tae mak Scotland mair Presbyterian, no less. Forby religion, there wis a sense that Scotland wis bein neglectit an misgovernit, in pairt because Charles jist didna unnerstaun it an had hardly iver been there. Charles's relations wi his English subjects wisna muckle better. By the late 1630s baith nations were slidin towards civil war, atween their Parliaments on the tae haun an Charles I on the tither.

King vs Covenant

In Scotland the Covenanters controlled the General Assembly o the Kirk an Parliament, an were threepin that baith bodies should be free frae royal interference. In 1640 Parliament met withoot royal permission, jist as it had done in 1560. An like thon earlier time, a revolution wis pit in place. The Parliament passed a Triennial Act, layin doon that 'a full and frie parliament' must meet at least 'every thrie year'; it raised taxes tae finance the Covenanter airmy that wis in the field against the King; it did awa wi aw previous Acts that had ettled tae establish Episcopacy in Scotland; an it abolished the Lords o the Articles (see p.31) an set up a wheen ither committees tae look efter Parliamentary business. The Parliament wis carefu tae stress that it wis actin 'in conscience of our duty to God, this kirk, our King and country' but there

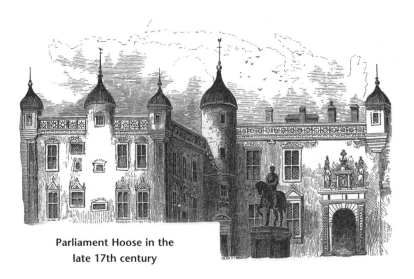

Parliament Hoose in the
late 17th century

wis nae doot in onybody's mind that whit it wis daein wis
revolutionary.

As Charles had tae spend mair an mair time fechtin aff the
challenges o his enemies in England, the Covenanters took
greater control o Scotland's Parliament. It stertit aff assertin
its richt tae be free frae royal authority, but suin wis ticht in
the hauns o the Covenanters. The 1640s saw the Scottish
Parliament actin withoot ony royal control ower it, but
dominatit by men that cud be jist as nerra-mindit as the King.
In the end, the alliance atween the Scottish an English
Parliaments ended in a brakdoon o trust, leadin tae war, wi
sair consequences for Scotland when Oliver Cromwell rose
tae prominence. The period o the Civil War raised yet again
in minds baith north an sooth o the Border the idea o a Union
atween the twa countries (see p.79).

The Covenanters

The Covenanters were the supporters o the National
Covenant, a document drawn up in 1637 by a group o
Presbyterian ministers an lawyers in protest against the reli-

gious policies o Charles I, an signed by thoosans o Scots, frae the puir tae the nobility, in 1638 an efter. The Covenant remindit its readers o aw the Acts o Parliament that had established the Reformed faith as the religion o Scotland, an condemned the innovations introduced by Charles an his ministers, especially the Prayer Book, which wis seen as ower English an even ower close tae Rome. A riot took place in St Giles Kirk in Embro, on 23 July 1637, when Bishop David Lindsay tried tae read frae the Prayer Book an wis rewardit wi bein chased oot by the congregation. Legend has it that the riot stertit when Jenny Geddes, a street vendor o vegetables, flang her stool at the Bishop's heid, skraichin, 'Wilt thou say mass at my lug, thou false thief?' For centuries efter this event, Jenny Geddes wis a kind o folk-hero o Scottish history, altho there's nae firm evidence that she iver existit!

The Covenant also asserted that the Kirk should be free frae royal control, an, altho it took tent tae speak aboot lealty an dedication tae the King, it made clear that first an foremaist the lealty o them that signed it wis tae God. This wis a continuation o the argument made by Andrew Melville tae James VI (see p.45). Charles saw the Covenant as a challenge tae his authority, which o coorse it wis.

Frae 1640 tae 1647 the Covenanters were in chairge in Scotland an allied themsels wi the English Parliament against the King. They hoped tae spreid Presbyterianism throu the haill o England as weel, an in 1643 signed an agreement wi the English Parliament, cried the Solemn League an Covenant, tae achieve their aim. The Covenanters said they wid provide military aid if England adoptit Presbyterianism. The English Parliament wis happy tae hae the Scots airmy fechtin for it but it niver had ony intention o stickin tae its side o the niffer.

'The Baptism on the Hillside' by Sir George Harvey, pentit in 1831 as an initial composition for the feenisht picture which is in Aiberdeen Art Gallery. The scene depicts a typical 'conventicle' frae the days o the Covenanters

Later, the Covenanters fell oot wi each ither an syne wi Oliver Cromwell efter the execution o Charles, an were defeated by him at Dunbar. They were pooerless tae prevent the English occupation o Scotland in the 1650s.

Efter the Restoration o Charles II in 1660, an the reintroduction o Episcopalianiasm in the Kirk, the Covenanters became an opposition movement, wi mony o their ministers forced oot o office an barred frae preachin in public. Their hertland wis in the sooth an west o the country, frae Lanarkshire tae Ayrshire an Gallowa. The abidin image o the Covenanters in this period is o their illegal meetins for worship in the hills an on the muirs. These gaitherins were cried *conventicles*. Government troops herried an huntit doon onybody that took pairt, an there were skirmishes, battles an acts o terrorism on baith sides durin whit wis cried the *Killin Times* (1679–88). Tae this day there are mony monuments tae the 'mairtyrs' o the Covenant scattered oot-throu Scotland, maistly in the Lawlands. (Thorbjörn Campbell's book *Standing Witnesses: An Illustrated Guide to the Scottish Covenanters* gies details o whaur tae find these monuments.) Amang the weel-kent events o the period were the Pentland Risin o 1666, the assassination o Archbishop James Sharp near St Andrews (1679), the Battle o Bothwell Brig (1679), the judicial torture o Covenanters in Embro, an their imprisonment on the Bass Rock.

The Bass Rock, aff the east coast o Scotland at North Berwick, whaur leadin Covenanters were imprisoned

War, Wolves an Witches:
Some Extracts frae the Acts o the Auld Parliament

The Scottish Parliament passed hunners o Acts coverin ivery aspect o life. It wis a coort o law, the tapmaist coort in the land, whaur aw cases o treason or forfeiture (when somebody's land or guids or life, or aw three, were taen awa frae them as a punishment) were heard. It wis also the place whaur laws were made – laws aboot trade, duties an taxes, defence o the realm, war, religion, plague, the protection o property, an the protection o bairns, the puir an the seik. There wis laws aboot inns, hospitals an schuils; aboot conservin saumon an birds like paitrick an pluivar an deuk, an aboot destroyin birds that were thocht on as pests, like rooks an craws an buzzards; aboot plantin wuids an hedges, aboot the sale o wool, corn an ither gear, aboot mendin brigs an aboot the richt wechts an meisures tae be yaised at mercats.

Some examples frae the Acts, wi some o the backgrun as tae why they were introduced, are gien below. Ye'll can seek oot mair information o this kind by visitin the website o the Scottish Parliament Project (www.st-and.ac.uk/~scotparl/).

Fitbaw an the Defence o the Realm

> *Item: It is statut and the king forbiddis that na man play at the fut ball under the payne of ij d [twa pence] ...*

This Act is frae 1424. At first it seems gey strange that Parliament should hae been sae keen tae stap folk playin at fitbaw. The worry, tho, wis that they were daein this when they should hae been practisin their airchery insteid, an that this didna lea the country in a guid state o preparation if England should invade (a constant possibility for centuries).

In 1457, in the reign o James II, we find the same concern shawn again – no jist aboot fitbaw but golf an aw – in a law passed aboot the regular haudin o *wappenshaws*, when men were expectit tae gaither an practise their skeels wi wappens o various kinds. By this law, if ye didna turn up tae practise at the lists ye'd be fined, an them that did turn up wid get yer siller an be alloued tae spend it on drink:

Item: It is decretyt and ordanyt that wapinschawingis be haldin be the lordis ande baronys spirituale and temperale four tymis in the yere. And that the fut ball ande the golf be utterly cryt doune and not usyt. Ande that the bowe merkis be maide at ilk paroch kirk a paire of buttis and schuting be usyt ilk Sunday. And that ilk man schut sex schottis at the lest under the payne to be raisit apone thame that cumis not at the lest ij d [twa pence] to be giffin to thame that cumis to the bowe merkis to drink... And that ther be a bowar and a fleger in ilk hede towne of the schyre. And at the towne furnys him of stuf and graithe efter as nedis him therto that he may serve the cuntre with. And as tuichande the futball and the golf we ordane it to be punyst be the baronys unlawe [fine] ...

The warld's auldest fitbaw, c.1540, fund in the ruif o Stirling Castle, is on display at the Stirling Smith Museum

A couple o years afore this, when baith the threat o English invasion an the chance o a Scottish force gaun on a raid ower the Border were gey likely, a haill string o laws wis passed on sic maitters. Here's twa o them, shawin hoo nervous awbody wis aboot the situation:

> Item: Gif ony Scottis man dois ony treasone, that is to say warnys of the riding of ane host or ony Scottis man to do harme in Inglande or to Inglismen, and it may be opinly knawyn apon him he sall furthwithe ... be hangyt and drawyn and his gudis eschet to the king.

> Item: Gif ony Inglisman cumis in the kinrik of Scotlande to kirk or mercat or ony uthir place withoutyn conduct or assouirance of the king, the wardane or thame that poweris has, he salbe lauch-full presonar to quhat persone that likis to tak him.

In 1456 mair sic laws were passed. Nae man o fechtin age wis exempt frae servin in the airmy unless they were that puir they didna hae the richt gear:

> Item: It is ordainit that al maneir of man that has landis or gudis be redy horsit and geirit eftir the facultie of his landis and gudis for the defens of the Realm at the comaundment of the king ... And that al maneir of men betwix sextie and sextene be redy on thair best wyse to cum to the bordouris for the defence of the lande quhen ony witting [information] cumis of the incumming of ane gret Inglis host. And that na puir man na unboden [no equipped] be chargyt to cum to ony radis in Inglande ...

Wolves

In the Middle Ages, maist o Scotland wis wild country, much o it forest, a naitural habitat for mony animals, includin wolves. Wolves were feared an hated by the Scottish people. They had a reputation for killin kye an sheep, an even for attackin humans when maist hungert. The 15th-century historian Hector Boece recordit that Scottish wolves had lang been thocht on as fiercer nor maist. He described an ancient king, Edeir, appearinly livin at the time o the Roman invasion o Britain, that yaised tae traivel aboot his kingdom. Boece said that

> his passaige was the mair plesand to his nobillis, that he was gevin to hunting, for he delitit in no thing more than in chais of wild beistis ... and specially of wolffis, for they are noisum [troublesome] to tame bestiall [domestic beasts]. This regioun, throw the cauld humouris thairof, ingeneris wolffis of feirs and cruel nature.

Parliament passed several Acts ower the years, makkin it no jist lawfu but obligatory tae hunt an persecute wolves. This yin frae 1427 is typical. 'In gaynande tym of the yere' (that is tae say, at the maist appropriate time – probably spring) the local baron an his men were expectit tae hunt doon an kill the whelps or cubs. Onybody that didna jyne the hunt wis tae be fined a wedder (a male lamb):

Wolves were persecuted by Parliament's decree. The last Scottish wolf was killt in 1743

Item: it is statute and ordanit be the king with consent of his hail consal that ilk barone within his baronry in gaynande tym of the yere ger serch and seik the quhelppis of the wolfis and ger slai thaim. Ande the barone sal gif to the man at slais thaim in his baronry and bringis the barone the hede ij s [twa shillings, aboot ten pence the-day]. Ande quhen the barone ordanis to hunt and chase the wolfis the tenandis sal rise with the barone under the payn of ane weddir to ilk man not rydande with the barone. Ande that the baronis hunt in thare baronryis and chase the wolfis four tymis in the yere ande als often as ony wolf beis sene within the baronry.

A combination o huntin an the destruction o the forests pushed the Scottish wolf towards extinction. The Hielands became its last refuge, an eventually its nummers dwined tae a mere haunfu. The last wolf wis killt in 1743 in Morayshire. The legend is that this beast had slauchtered twa bairns, an the local laird organised a pairty tae track it doon. But afore the pairty cud set oot, the laird's ain chief stalker, a man cried MacQueen, arrived. He had awready gane oot an fund the craitur. His testimony wis brief an tae the pynt:

As I came through the sloch by east the hill there, I foregathered wi the beast. My long dog there turned him. I buckled wi him, and dirkit him, and syne whuttled his craig, and brought awa his countenance for fear he should come alive again, for they are precarious creatures.

As pruif o his success, MacQueen produced a bluidy memento frae aneath his plaid an set it in front o the laird. 'I met the bit beastie,' he said, 'and this is his heid.'

Times chynge, an sae dae attitudes tae wild animals. Schemes are noo bein considered for mibbe re-introducin the wolf intae Scotland, tho it has tae be said there's no mony fermers that's keen on the idea. Meanwhile, in February 2002, the Scottish Parliament passed The Protection of Wild Mammals (Scotland) Act, which made it an offence tae hunt ony wild mammal wi a dug, forby unner a few special circumstances. This wis guid news for deer, brock, tod an maukin, but it wis weel ower late for the Scottish wolf!

Guid an Bad Behaviour

An Act o 1436 made it plain that there wis tae be a curfew on bevvyin in touns efter nine at nicht an that the penalty if ye were caught wis a nicht in the jyle.

> *Item: The king and the thre estatis has ordanyt that na man in burghe be fundyn in tavernys at wyne, aile or beir efter the straik of ix houris and the bell that salbe rongyn in the said burghe. The quhilkis beande fundyn the aldermen ande bailzies sall put thame in the kingis presone.*

Ither kinds o behaviour werena tholed in the wey they are the-day either. In 1551, Parliament ettled tae crack doon on cursin an sweirin:

> *Item: Because nochtwithstanding the oft and frequent prechingis in detestatioun of the grevous and abominabill execratiounis and blasphematiounis of the name of God, sweirand in vain be His precius bluid, bodie, passioun, and woundis, Devill stick, Cummer gar roist or ryse thaim, and sic utheris ugsome aithis and execratiounis aganis the command of God, yit the same is cum in sic ane ungodlie use amangis the pepil of this realm, baith of greit and small estaitis ... it is statut and ordainit that quhatsumevir persoun or persounis sweiris sic abominabill aithis and detestabill execratiounis as is afoir rehersit sall incur the painis eftir following ...*

There wis a slidin scale o fines for each offence in a three-month period: bishops, earls an lords that swure wid be fined fowerteen pence, barons an priests fower pence, sma fermers, freeholders an burgesses twa pence, an craftsmen, yeomen, servants an ithers a penny. An if ye didna hae a penny, ye got the jyle:

> 'Item: the puir folkis that hes nae geir to pay the pain forsaid to be put in the stokkis or presonit for the space of four houris'.

Later in the same century the Parliament wis controlled mair an mair by men that wantit tae impose their ain dreich brand o religion on the country. Some o the laws they cam up wi, like this yin frae 1579, were mild enough (an remind us o recent arguments aboot Sunday tradin):

> His majestie and his thrie estatis in this present parliament statutis and ordanis that thair be na mercattis nor fairis haldin upoun the Sonday ...

But ithers shawed a determination tae stamp oot auld traditions. For example, the keepin o certain saints' days as holidays wis decried. The *Book of Discipline*, a doctrinal statement o the reformed faith composed in 1560, had annoonced that the 'keeping of holy dayes, all those that the papists have invented, as the feast of Christmasse ... we judge them utterly to be abolished from this realme.' Yet in 1581, Parliament fund that folk were still committin the heinous crimes o lichtin bonfires an singin Christmas carols:

> Forsamekil as pairt for want of doctrine ... and pairtlie throw the pervers inclinatioun of mannis ingyne to superstitioun, the dreggis

of idolatrie yit reignis in divers pairtis of the realm ... be observing
the festuall dayis of the sanctis sumtyme thair patronis, in setting
furth of banfyris, singing of carolis within and about kirkis at
certain sesounis of the yeir, and observing of sic uthir superstitius
and papisticall rytis to the dishonour of God, contempt of the trew
religioun, and fostering of great errour amang the pepill... it is statut
and ordainit be our Soverane Lord with advise of his thre Estaitis
in this present Parliament, that nane of His Hienes leigis presume
or taik upoun hand in tyme cuming to ... use the foirnamit super-
stitiunis and papisticall rytis, undir the painis following ...

Heavy fines wid be imposed for a first offence. For a saicont offence, the penalty wis daith.

Education

Whit micht be termed the first Scottish Education Act wis passed in 1496. The intent wis that the sons o the land-ownin class ('barronis and frehaldaris') oot-throu the land wid growe up weel enough educatit (able, for example, tae read Latin) sae that when they became sheriffs or judges they cud administer the law in their ain locality wi fairness an skeel. Note the concern that justice should apply as weel tae the 'puir pepill'.

It is statute and ordanit throw all the realme that all barronis and
frehaldaris that ar of substance put thair eldest sonnis and airis
to the sculis fra thai be aucht or nyne yeiris of age, and till remane
at the grammar sculis quhill [till] thai be competentlie foundit and
have perfite latyne, and thereftir to remane three yeris at the sculis
of art and jure [law] sa that thai may have knawlege and under-
standing of the lawis. Throw the quhilkis justice may reigne
universalie throw all the realme sa that thai that ar schireffis or
jugeis ordinaris under the kingis hienes may have knawlege to do

justice, that the puir pepill sulde have nae neid to seik our soverane
lordis principale auditouris for ilk small injure.

Education wis returned tae at various pynts in the history o
the Parliament. In 1616, for example, an Act wis passed
extendin parish schuils intae the Hielands an Isles. On the
face o it, the aims seem benevolent: tae increase 'civilitie,
godlines, knawledge and learning'. But there wis anither
agenda: tae instruct 'the youth' in the 'trew religioun' (by this
time, Protestantism wis firmly established as Scotland's offi-
cial religion) an tae replace Gaelic ('the Irishe language') wi
'the vulgar Inglische toung'. Lawland Scotland had aye been
feart o the Hieland folk, an this Act micht be seen as a kind
o cultural attack on their wey o life:

Forsamekle as the kingis Majestie having a speciall care an regaird
that the trew religioun be advanceit and establisheit in all the
pairtis of this kingdome, and that all his Majesties subjectis, espe-
ciallie the youth, be exercised an trayned up in civilitie, godlines,
knawledge and learning, that the vulgar Inglische toung be univer-
sallie plantit, and the Irische language, whilk is one of the chief
and principall causis of the continewance of barbaritie and inci-
vilitie amongis the inhabitantis of the Ilis and Heylandis, may be
abolisheit and removit; and quhairas thair is no meane more power-
full to further this ... than the establisheing of scooles in the
particular parrocheis of this kingdome whair the youthe may be
taught at the least to write and reid ... thairfore the kingis Majestie,
with advise of the Lordis of his Secreit Counsall, hes thocht it
necessar and expedient that in everie parroche of this kingdome
whair convenient meanes may be had for interteyning a scoole,
that a scoole salbe establisheit, and a fitt persone appointit to teache
the same ...

In 1616 a further Act enforced the levyin o a local tax tae pey for parish schuils, but clearly some pairts o the country were better providit wi schuils than ithers. In 1646 Parliament took tent o this, an made yet anither law that there be 'a School founded and a Scolemaster appointed in everie paroche (not alreadie provyded) by advyse of the presbitrie' (the local kirk coort). The 'heritors' or local landowners were tae provide 'a commodious hous for the schole' an also tae pey a minimum wage tae the schuilmaister. An in each parish a primitive kind o schuil board, wi twal members, wis tae be set up tae mak shair these things were done. Aw these an ither Acts meant that, lang afore the Union, Scotland had a netwark o schuils the lenth an breadth o the country, an education wis faur mair widespreid, baith geographically an socially, than in maist ither countries.

Witchcraft

In a deeply religious age, folk aften felt as threatened by attacks frae 'the ither warld' as they did frae a foreign country. In 1563, in the reign o Mary, Parliament laid doon a strict law against onybody plowterin aboot in the murky waters o witchcraft. Even consultin wi supposed witches or sorcerers wis thocht as evidence o bein in league wi the Deil. If ye were fund oot, the penalty wis daith:

> *Item: Forsamekill as the Quenis Majestie and the Estatis in this Present Parliament, being informit that the havy and abominabill superstition usit be divers of the liegis of this Realme be using of Witchcraftis Sorsarie and Necromancie and credence gevin thairto in tymes bygane aganis the Law of God, And for avoyding and away putting of all sic vane superstitioun in tymes tocum, It is statute and ordanit be the Quenis Majestie and thre Estatis foir-*

saidis that na maner of persoun nor persounis, of quhatsumever
estate degree or conditioun thay be of, tak upone hand in ony tymes
heirefter to use ony maner of Witchcraftis Sorsarie or Necromancie,
nor gif thame selfis furth to have ony sic craft or knawlege thairof
thairthrow abusand the pepill. Nor that na persoun seik ony help
response or consultatioun at ony sic usaris or abusaris foirsaidis
under the pane of deid alsweill to be execute aganis the usar abusar
as the seikar of the response or consultatioun ...

Near a hunner years later, the same fears were still aroond.
On 1st February 1649, twa days efter Oliver Cromwell had
had King Charles I heidit in Lunnon, when ye wid think the
Parliament in Embro had mair pressin maitters tae deal wi,
it turned its attention tae witchcraft:

**The Deil preaches frae the pulpit tae
the North Berwick witches in 1591
(frae a contemporary book)**

The Estats of Parlement ... understanding that there are some
persons who consult with Devills and familiar spirits Who, not
withstanding of the 73rd act of Queen Marie quhairby it is ordained
that all witches sorcerers Necromancers and Consulters with them
are to be punished by death, Doe yet Dreame to themselffis
impunity becaus Consulters are not expresslie mentionat in the
said act, Doe thairfor for further clearing thairof Declare and
ordaine that whatsoever persone or persons shall Consult with
devillis or familiar Spirits are Lyable to the paines contained in
the said act and shall be punished by death. And the saids estatis
ratifies and approves all former acts made aganst witches Sorcerers
Necromancers and Consulters with thame, In the haill heads arti-
cles and claussis thairof.

This wis a sign o the times. Witchcraft aye seemed tae become
a big problem when there wis civil an religious strife in the
land, an in 1649 the land wis in turmoil, wi the King deid an
Cromwell threatenin an invasion. Forby this, the Parliament
wis controlled by the Covenanters, an they were aye maist
anxious aboot sic signs o spiritual backslidin in the nation.
There wis a spate o witch trials in 1649, mony o them autho-
rised by special commissions o Parliament sic as this yin frae
12 July:

The quhilk day commissioun wes grantit be the parliament for
trying and putting to executioun of certaine personns guiltie of the
cryme of witchcraft within the parosches of Bruntylland Dalgatie
and Coldinghame ...

The problem jist seemed tae get worse, hooiver. This commis-
sion wis grantit on 19th July:

IACOBVS·I·D·GRAT
REX·SCOTORVM

James I, by an unkent artist: 'I will gar the key keep the castle
an the bracken bush keep the coo'

IACOBVS 2 D
REX SCOTOR

James II, by an unkent artist

James IV, by an unkent artist

James VI as a bairn, by Arnold van Bronckhorst

Oliver Cromwell (1599-1658), by an unkent artist

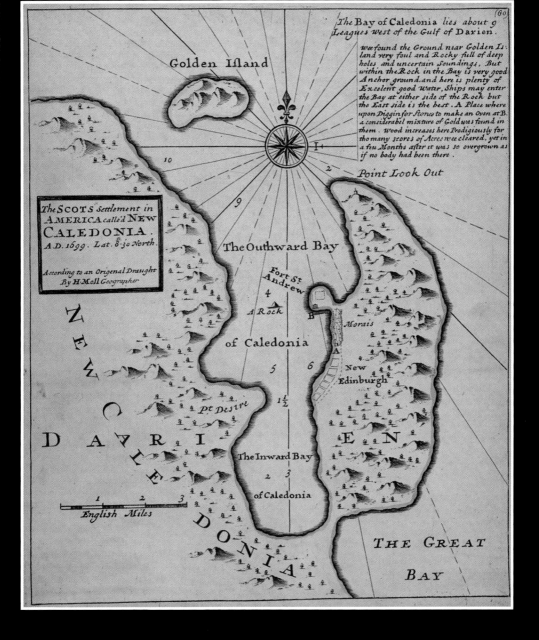

'The Scots Settlement in America called New Caledonia', a map o 1699 by H.Moll

Sir Walter Scott (1771–1832), by Sir William Allan

The quhilk day the Estaits of parliament finds unanimouslie the sine of witchcraft daylie increasis in this land THAIRFOIR they have givine and grantit full power and commissioun for trying and putting to executioun certaine personns guiltie of the cryme of witchcraft, Conform to thair Depositiouns subscryvit be the ministers and elders within the parochis of Northberrick Borroustounes Quenisferrie and Haddingtoun.

Richt throu the rest o the 17th century, many women an a few men were tried, fund guilty an executed for witchcraft, aften on the evidence o bad neebors or unfreens. In 1591 even King James VI, an intelligent an weel-learit man, presided ower the trial o dizzens o witches accused o plottin his daith at North Berwick. James wid later write a book aboot witchcraft, cried *Daemonologie*, an thocht himsel awfie wice on the subject, sae the North Berwick witches received nae mercy.

The Act o 1563 wisna repealed till 1735, jist a few years efter the last 'witch' wis burnt at Dornoch in Sutherland for the crime o turnin her dochter intae a cuddy an getting the Deil tae pit horse-shaes on her feet. In the years atween, at least 1,500 women were judicially tortured an killt for bein witches. This is yin o the daurkest stains on Scottish history.

Beggars, Egyptians an Ethnic Cleansin

Aw societies in history, richt doon tae the present, has warsled wi issues o 'law an order'. Likewise, aw societies hae been faced wi the problem o whit tae dae wi, or for, the puir, the seik an the hameless, an folk that dinna conform tae the wey o life o the majority. In the middle ages, jist as noo, governments tendit tae see poverty an crime as tichtly bund thegither, tho that didna mean they had muckle sympathy for ony puir person that wis driven tae steal in order tae eat. Distinctions were aften made atween lazy, 'stark' or sturdy beggars on the tae haun, an seik yins that cudna help theirsels on the tither.

As early as the reign o David I (1124–53) folk that were 'destitut of the help of men' were pit 'undir the protectioun of the lord the King'. Yin o the first Acts passed by Parliament in 1424, when James I returned frae his lang captivity in England tae rule his ain kingdom, wis tae order a survey o hospitals:

> Item: Anent hospitalys that ar fundit of almous dedis throu kingis, to be uphalden to pur folk and seik, to be vesyit [visited] be the chanceller as hais bene done in the kingis progenitouris [ancestors] tymis, And thai that ar fundyt be bischoppis or uthir lordis spirituale or temporale to be vesyit be the bischop and ordinaris quham it efferis to [whase affair it is] and reduce thaim to the effec of thare first fundacione [bring them intae line wi whit they were first established for].

In the same Parliament 'thiggin', or cadgin for food an ludgin (aften by intimidatin folk, or jist takkin whit ye wantit onywey) wis forbidden:

> Item: It is ordanyt that nae thiggar be thollyt tolerated to thyg nocht in burgh nor to land [in toun or country] betwix xiiii [14] and lxx [70] yeris of age bot [unless] thai be sene be the consall of the toun or the commonis of the cuntre that thai may nocht wyn thar leffing otherwayis ...

In 1574 the law aboot beggars wis revised. The usual legal practice wis tae mak a distinction atween 'maisterful' an 'idle' beggars an the aged, puir an seik yins, tho in practice that distinction wisna aye weel observit:

Forsamekill as thair is sindry lovabill actis of parliament maid be
our soverane lordis maist nobill progenitouris for the stanching of
maisterfull ydill beggaris, awayputting of sornaris [scroungers] and
provision for the puyr ... It is thocht expedient and ordanit, alsweill
for the utter suppressing of the saidis strang and ydill beggaris sa
outragious ennemeis to the commoun weill as for the cheritabill
releving of the aigit and impotent puyr people, that the ordour and
forme following be observit quhill the nixt parliament or conven-
tioun generall of the estaittis ...

'Strang ydill beggaris' atween the ages o fowerteen an seiventy,
if fund 'wandering and misordering thame selffis', wid be
pitten in prison or the stocks till they cud be brocht afore an
assize. If ye were fund guilty the punishment wis tae be
'scurgeit and burnt throw the girssill [cartilage] of the rycht
eare with ane het Irne of the compasse of ane inche about ...'

Efter that, a beggar wid hae sixty days' grace afore he cud
be further punished, but if efter the sixty days he wis fund
tae hae 'fallin agane in his ydill and vagabound trade of lyff'
he wid 'suffer the panis of Death as a theif'.

Tae mak clear wha wid coont as an idle beggar, this Act
made a leet. This leet includit folk we wid nooadays cry 'traiv-
ellers' or 'gypsy traivellers'. The Act cried them 'the ydill
people calling thame selffis Egiptianis, Or ony uther that
fenzeis thame [pretends] to have knawlege in physnomie,
palmestre or utheris abused sciencis, quhairby thay perswade
the people that thay can tell thair weardis [fates] deathis and
fortunes and sic uther fantasticall ymaginationis'.

Some ithers on the leet were:

'all persons being haill and stark in body and abill to wirk'

onybody wi nae trade or craft, land or maister, that cud 'gif na rekning how thay lauchfullie get their leving'

'all menstrallis sangstaris and tail tellaris' that werena in the special service o the Lords o the Parliament, ither nobles or burghs o the realm

'all countirfaittiris of licencis to beg'

'all vagaboundis scollaris of the universiteis of Sanctandrois Glasgow and Abirdene not licencit be the rector and Dene of facultie of the universitie to ask almous' [Puir students were permitted tae beg as in thae days there wise nae sic things as student grants.]

'all schipmen and marinaris allegeing thame selffis to be schip brokin without thay have testimoniallis ...' [If ye were a shipwrecked sailor, ye had tae hae a piece o paper frae the toun whaur ye were washed up sayin as muckle.]

It wisna jist gypsies, beggars, students, an sangsters that the Parliament didna like daunerin aboot the countryside. In thae days, mony Lawland Scots didna hae muckle time for Hielanders (they aften cried them 'Irish' on accoont o the Gaelic language they spak). Hielanders wid aften arrive doon the west coast by boat, an Parliament tried tae dissuade boat owners frae cairryin them. The Act declared that:

na Irische and hieland bairdis and beggaris be brocht and ressavit in the lawland be boittis or utherwayis under the pane of xx li [£20] of the bringaris. And gif ony be alreddy brocht thay salbe convoyit agane to the nixt port neir quhair thay wer landit or neir the same,

And frome that transportit at the commoun charge of the cuntre
quhair they wer set on land to the partis they come fra ...

Parliament wis aye haein tae come back tae this issue. King
James VI wis determined tae redd up the folk causin trouble
(as he saw it) aroond the edges o his kingdom. In 1587
Parliament passed a specific Act 'For the quieting and keping
in obedience of the disorderit subjectis inhabitantis of the
Bordoris Hielandis and Ilis'. It specified 'sic notorious thevis
as wer borne in Liddisdaill Eskdaill Ewisdaill Annerdaill and
the landis sumtymes callit Debetable, or in the landis of the
Hielandis that hes lang continewit inobedient'. Aw sic persons
that were dwellin in the 'Inlandis', that is the central pairt
o Scotland, were tae be sent back whaur they cam frae, unless
they cud get a landlord tae staun surety for them.

The fact that specific pairts o the Borders were mentioned
– Liddesdale, Eskdale, Ewesdale, Annandale an the sae-cawed
Debatable Lands – shaws whit kind o reputation thae folk had.
(The Debatable Lands were an area o jist a few square mile
that lay atween England an Scotland aroond the Solway Firth.
Naebody wis quite shair whit line the Border took in this wild
airt, sae neither country had jurisdiction there, an it wis a
haven for ootlaws frae baith).

In 1609 an even mair ruthless Act wis passed against
gypsies. It stated in nae uncertain terms that 'the vagaboundis
sorners and commoun theiffis commounlie callit Egiptianis'
were tae 'pass furth of this kingdome and remane perpetu-
alie furth thairof and nevir to returne within the samyn under
the paine of death'.

This Act wis passed in June, an it gied the gypsies till 'the
first day of August nixtocum' tae leave,

eftir the whilk tyme gif ony of the saidis vagaboundis called Egiptianis Alsweill wemen as men shalbe foundin within this king-dome or ony pairt thairof it shall be Lesum [lawfu] to all his majesteis subjectis ... To cause tak apprehend Imprisone and execute to death the saidis Egiptianis aither men or wemen as commoun notorious and condemned theiffis ...

We hae read an seen plenty in the news in recent years aboot 'ethnic cleansin' in ither pairts o Europe. It's worth remindin oorsels that the Scots hae been jist as capable o sic behaviour as onybody else.

The Ridin o the Parliament

The Ridin o the Parliament wis an important ceremony that, by the 16th century, had become a verra formal affair. Withoot this ceremony, wi either the sovereign or his or her representative (Commissioner) present, Parliament wisna a legitimate gaitherin, an cudna mak an pass laws. We hae a guid description o the Ridin o the Parliament in John Spalding's accoont o *The History of the Troubles and Memorable Transactions in Scotland and England from 1624 to 1645.* Spalding wis a lawyer frae Aiberdeen. Here he describes the Ridin in June 1633. This wis the first time Charles I had bathered tae visit his northern kingdom, even tho he had awready been king eicht year. He wis crooned at the Abbey o Halyrood, nixt tae the Palace o Halyroodhoose. A few days later the Three Estates gaithered there in a grand procession that made its wey back up the Royal Mile tae Parliament Hoose, wi the maist senior nobles cairryin the royal regalia aheid o the King:

In the first rank, rode the commissioners of burrows, ilk ane in their own places, weill cled in cloaks, haveing on their horses black velvet foot mantles; 2dly, the commissioners for barrons followed them; 3dly, the lords of the spirituality followed them; 4thly, the bishops, who rode altogither, except the bishop of Aberdein, who was lying sick in Aberdein ... 5thly, followed the temporal lords; 6thly followed the viscounts; 7thly, the earles followed them; 8thly, the earle of Buchan followed the earles, carieing the sword, and the earle of Rothes, carieing the scepter, rydeing syde for syde with other; 9thly, the marquess of Douglas, carieing the crown, having on his right arm, the duke of Lennox, and on his left, the marquess of Hamilton, following them; then came his majestie immediately

after the marquess of Douglas, rydeing upon ane gallant chesnut
collored horse, having on his head ane fair bunche of fedders, with
ane foot mantle of purpour velvet, as his robe royall was; and none
rode but [withoot] their foot mantles, and the nobells all in reid
scarlet furred robes, as their use to ryde in parliaments is, but his
majestie made choice to ryde in king James the fourth's robe royall,
whilk was of purpour velvet, richly furred and laced with gold,
hanging over his horse tail ane great deal, whilk was caried up
frae the earth, by five grooms of honour, ilk ane after another, all
the way as he rode, to his hieness lighting; he had also upon his
head ane hatt, and ane rod in his hand. The lyon heraulds, purse-
vants, macers, and trumpeters, followed his majestie in silence.

Frae Spalding's description we can see that parades were
jist as popular in thae days as noo, an that methods o crood
control, wi crush barriers an polis, werena that different either:

In this order, his majestie came frae the Abbay, up the Hie Gate,
and at the Nether Bow, the provost of Edinburgh came and saluted
the king, and still attended him whyll he lighted. The calsey was
ravelled, frae the Nether Bow to the Stinking Style, with staiks of
timber dung in the end, on both sydes, yet so that people standing
without [ootside] the samen, might see weill enough; and that none
might hinder the king's passage, ther was within thir rails, ane
strong guard of the touns men with pikes, partisans, and muscatts,
to hold off the people ...

An the toun o Embro didna stint at layin on plenty food an drink, which whiles seems tae hae gane tae the heids o the toun cooncillors:

Upon Munday the 24 of June, the toun of Edinburgh gave a sump-tuous banquet to sundrie nobles, courtiers, and court officers, with musick and much mirrement. After dinner, the provost, baillies, and councellors, ilk ane in other hands, with bare heads, came dancing doun the Hie Streit, with all sort of musick, trumpeters, and drums; but the nobles left them, went to the king, and told him their good entertainment, with joy and glaidness; whereat the king was weill pleased.

At the end o that week, on Friday, 28 June,

the parliament was ridden againe, be the king and his three estates, in manner formerly sett doun ... and, in this order, in their parlia-ment reid robes, they came rydeing frae the Abbay up the gate, and lighted; syne went in alltogither to the parliament house, and there ratified the haill acts made and concluded before the lords of the articles, after the samen was first voiced and voted about be the lords of parliament, and their acts ordained to be imprinted; and so the parliament rose up, the forsaid day.

The Ridin o Parliament, then, wis a grand occasion, that symbolically thirled the monarch an his three Estates thegither (when they werena argy-bargyin, as Charles I an his subjects wid be daein wi a vengeance in jist a few years). It demonstrated tae the common folk, throu its fantoosh ceremony an awbody's braw claes, the importance o the Parliament. An it gied a guid boost tae the local economy. Gey sma wunner that in his novel *The Heart of Midlothian* Sir Walter Scott has twa o the characters, speakin in 1736, lang efter sic ceremonies had ceased, lamentin the end o a rich tradition that wid hae brocht Miss Damahoy, the seamstress, an Mr Plumdamas, the merchant, plenty o business:

> *'And as for the lords of state,' said Miss Damahoy, 'ye suld mind the riding o the Parliament ... in the gude auld time before the Union, – a year's rent o mony a gude estate gaed for horse-graith and harnessing, forby broidered robes and foot-mantles, that wad hae stude by their lane wi gold brocade, and that were muckle in my ain line.'*
>
> *'Ay, and then the lusty banqueting, with sweetmeats and comfits wet and dry, and dried fruits of divers sorts,' said Plumdamas. 'But Scotland was Scotland in these days.'*

Yet, three an a hauf centuries efter the Ridin described by John Spalding, a verra similar occasion took place on 1 July 1999, when Queen Elizabeth rode in procession frae Halyroodhoose tae open the new Scottish Parliament.

The Auld Parliament Hoose

For much o its existence, the auld Parliament met in mony different places, dependin on whaur the King wis when he summoned the Three Estates. Cambuskenneth, Haddington, Perth, Inverness, St Andrews, Scone, Stirling an Aiberdeen, as weel as Embro, aw saw meetins o the Parliament. But mair an mair as time passed it met in Embro. Even here, tho, it didna hae its ain hall or chaumer. By the early 1600s it yaised tae meet in the Tolbooth, a buildin nixt tae St Giles Kirk whaur the Embro Toun Cooncil also met. In 1632 King Charles I speired the Cooncil tae provide new accommodation for the Parliament, the Privy Cooncil an the Coort o Session. The toun o Embro ended up peyin for this new buildin, for the cooncillors were feart that if they didna provide it Parliament micht settle somewhaur else, an they didna want tae thole the economic loss tae the toun that that micht mean. It cost £10,555 tae construct.

Parliament Close in the 18th century

Parliament Hoose wis built in the High Street, by St Giles, It took seiven year tae bigg. It wis designed by Sir James Murray, His Majesty's Maister o Warks. The main feature wis the Parliament Hall itsel, wi a fine lower or *laigh* hall ablow it. It wis tae this Laigh Hall, in the 1670s an 1680s, that some o the Covenanters (see p.49) were brocht tae be pit on trial for their beliefs. Some o them were tortured yaisin terrible instruments sic as the *thumbikins*, the *pilliewinks* an the *buits*.

Yin o Parliament Hoose's best-kent ootside features wis a Great Door, facin ontae the yaird (ahint St Giles) which became kent as Parliament Close. Abuin the Great Door were statues o Justice an Mercy, since the law coorts were also tae

Parliament Hall in the 19th century, wi its haimmerbeam ruif an perambulatin lawyers. The scene looks gey similar tae this day

be hoosed in the buildin. The ootside waws had parapets an turrets an carvit designs roond the windaes.

Inby, the Parliament Hall had a vast airchin haimmerbeam ruif, made frae the finest aik timber importit frae the Baltic. This ruif wis constructit by Embro's maister wright, a man cried John Scott. The haill buildin wis feenisht jist in time for the King's visit tae Scotland in August 1639, an efter the Ridin o the Parliament frae Halyroodhoose, the Estates took their places in it for Parliamentary business.

Wi the Union o 1707, the buildin wis nae langer requirit for its original yaiss, an the muckle Hall wis yaised for the nixt hunner-odd years as the city's main venue for concerts, dances an siclike. In 1808, hooiver, new coort-rooms were needit by the Coort o Session, an it wis decided tae gie the ootside a facelift tae. A clean, neo-classical facade – aw the fashion at that time – wis designed by the architect Robert Reid, an wis biggit ower the auld ootside waws o Parliament Hoose. This meant coverin up the Great Door an mony ither features o the place. It is this facade that ye see the-day if ye walk roond the back o St Giles Kirk intae the yaird, whaur there is a fine leid statue o King Charles II on his horse.

Some folk thocht this renovation wis an act o vandalism on a venerable auld buildin. Lord Cockburn, a judge o that time, hated the new look, cryin its decoration 'contemptible'. He also didna like the fact that Parliament Close took on the grander name o Parliament Square – 'as foppery calls it', Lord Cockburn girned.

Further chynges tae the surroondin area took place efter the Great Fire o November 1824, that connached maist o the tenements o Parliament Close. The Parliament Hall wis yin o the few buildins that wisna burnt. Frae then on, richt doon tae the present day, it has been yaised by advocates as a kind o exercise room. They walk up an doon discussin the cases they are presentin in the various coorts that are situated in Parliament Hoose, noo the nerve-centre o Scotland's legal system. But Parliament Hall is a public space, an ony member o the public can gang in an walk up an doon tae (ye enter at the sooth-west corner o the yaird at door nummer 11). It's weel worth a visit: there are statues an portraits o famous judges an ithers, an there is a huge stained-gless windae at the sooth end, installed in 1868, wi a scene depictin the establishment o the Coort o Session in the reign o James V. But perhaps the maist impressive sicht is still the great haimmerbeam ruif, noo gey near fower hunner year auld.

Towards the Union

As we hae seen, the fact that Scotland an England had tae exist as neebors athin the same island caused aw kinds o difficulties for baith countries for much o their history. At various times plans had been pitten forrit, by yin or tither, tae bring an end tae the constant collieshangies, reivins, wars an invasions that caused sae muckle grief an injury baith sides the Tweed. Maistly sic plans includit a mairriage atween the twa royal faimlies tae bring them closer thegither, but things gey seldom warked oot like that. In 1503, for example, James IV had mairrit Margaret Tudor, the sister o Henry VIII, but whit had happened? James had supported France in its war against Henry an in 1513 had mairched an airmy intae the north o England, whaur he an maist o the Scots nobility were slauchtered at the Battle o Flodden. Sae, royal waddins, then as noo, didna aye mak for happy affcomes.

In the end, the Union o Croons cam aboot in 1603 as the result o a political decision by Elizabeth I tae choose her cousin James VI as heir tae the throne o England. They were cousins because Elizabeth wis a dochter o Henry VIII an James wis the great-grandson o Margaret Tudor. Elizabeth chose James, accordin tae the author o *The Historie of King James the Sext*, because he wis 'narrest and sibbest to hir of the blood royall of Ingland; and the most worthie besyde, for congruitie in religion and language'. Sae the bluid alliance *did* eventually bear fruit, but ainly efter a gap o exactly a hunner year.

Cromwellian Union

The *nixt* hunner year saw yet mair strife atween the twa coun-tries, even tho they noo shared the same monarchs. There wis civil war in baith Scotland an England in the 1640s, until

Charles I, James's son, scunnered awbody sae muckle that he got his heid chapped aff by order o the English Parliament unner Oliver Cromwell in 1649. The Scots werena happy wi this at aw. They had focht for political an religious freedom against Charles, but they didna think the English should hae heidit him – no at least athoot speirin their permission first: efter aw, he wis *their* King tae. They strauchtwey proclaimed his son Charles II as King, an the result wis that Cromwell brocht an airmy up by sea tae teach them mainners. Cromwell wis a skeely sodger, an he whummled the Scots in a bluidy battle at Dunbar in 1650. Cromwell occupied Embro while the Scots fell oot amang themsels. A man cried John Nicoll, wha kept a diary o the times, described the richt throu-ither state the Scots were in:

Charles I losses his heid

> *The Kingdome being thus in a moist pitifull and deplorabill condi-tioun, and sad estait, nane to ryse aganes the enymie, nor to defend the kingdome, severall meetings wer appoynted by the Estait to meet and to consult on the effaires of the land; sum tymes at Sterling, uther tymes at Pearth, quhair dyveris dyettis of Parliament, Committee, and Commisioneris for the Kirk met and wer holdin...bot all wes to small purpos, the divisiounes both of Stait and Kirk incressing to the great advantage of the enymie ...*
>
> *The Parliament of England omittit no occasioun all this tyme to provyde for thair sodgeris in Scotland, and sent in thair schips heir, with all furnitour and provisioun both for bak and bellie ...*
>
> *The Scottis Parliament did oft continew fra sum schort space to another; and upone the 13 of Marche 1651, they mett at Pearth...quhair it was dispute quhidder the Parliament sould sit doun and act or not ... Much dispute and mony protestatiounes in this schoirt Parliament, all of thame for by-endis ...*

The Scots were fair disjaskit, castin oot yin wi anither while Cromwell tichtened his grip on the land. The Parliament wis supposed tae meet again at Stirling at the back-end o 1651, but, says Nicoll,

> ... *the Estates durst not meit nor convene thair, be ressoun the Englisches haid now takin the Toun and Castell of Sterling, and possest the haill land besyde; so that thai wer forcit to meit quyetlie in the Hielandis, first at Roothsay in Bute, and thaireftir at Finlarich ...*

Oliver Cromwell (1599-1658)

Cromwell occupied Scotland for the rest o the decade. It wis declared that Scotland wid be incorporatit intae the English Commonwealth. Ainly the English Parliament wis alloued tae meet, but the Scots cud send thirty men tae represent their country in it. Mony o these men were English sodgers or officials frae the forces occupyin Scotland, sae they were haurdly gaun tae nae-say Cromwell.

Cromwell occupies Scotland

Aw this meant that the Scottish Parliament ceased tae operate until the Restoration o Charles II in 1660. The Cromwellian years were the closest thing tae a total political union wi England that Scotland had experienced since the time o William Wallace, but like then it wis imposed as a result o military defeat an occupation, an the Scots didna like it wan bit.

The Crisis o the Royal Succession

Frae 1660 tae 1685 Charles II sat on the throne in Lunnon, an his ministers governed Scotland frae there an frae Embro. This wis a period o great political an religious strife, wi Charles imposin the Episcopal system o kirk government an doctrine on the country, an mony o the people resistin him as they wantit Presbyterianism. The Covenanters, thae hard-line Presbyterians, openly rebelled, an yaised tae gaither on the moors an ither wild places tae haud their ain, illegal, open-air services. They were brutally repressed by government sodgers, tho it has tae be said that some o the Covenanters cud be jist as violent an nesty tae their enemies as the government wis tae them. (See p.49)

Things cam tae a heid when Charles deed in 1685 an wis succeedit by his brither James VII. James wis a prood an insensitive man an his heich-heidit wey o rulin didna endear him tae the Scots, but this wisna that byordinar for a king. Whit really got up their nebs wis that James wis a Roman Catholic, an at this time maist o the population o Scotland were die-hard Protestants an gey prejudiced against onybody that wis a Catholic. Even still, they micht hae tholed him as he wis awready in his fifties an had twa growen-up dochters, Mary an Anne, baith Protestants, waitin tae succeed him. Mary, the elder, wis mairrit on William, Prince o Orange in the Netherlands. But in 1688 James's saicont wife gied birth tae a son, raisin the prospect o a lang-term Catholic dynasty. Mony folk in baith England an Scotland decided this wis ower muckle. William an Mary were invited tae become King an Queen insteid, an James fleed tae France. This event is aften kent as the *Glorious Revolution*, altho hoo glorious it wis depended on which side ye were on.

Glorious Revolution?

The Scottish Parliament drew up a document, the Claim o Right, that laid the blame for the crisis fair an square on King James's shooders. They said he had forfeited the throne by heedin the advice o 'wicked and evil Counsellers', an by chyngin the constitution o the kingdom frae 'a legal limited monarchy' tae 'an arbitrary despotic power'. This wis a gey strang form o words: in England, they were mair polite, an made oot that James had simply abdicated.

The rest o the Revolution Settlement in Scotland concerned haein regular Parliaments an makkin Presbyterianism the official form o religion. In 1690, the committee kent as the Lords o the Articles (that had whiles been yaised by monarchs tae impose their will on Parliament, see p.31) wis abolished as 'a great grievance to the natione ... There ought to be noe Committees of Parliament but such as are freely chosen by the Estates to prepare motions and overtures that are first made in the house.' Abolishin the Lords o the Articles meant that Parliament cud operate wi minimal interference frae the Croon. This wid be crucial ower the nixt few years.

Glencoe

No awbody wis happy wi the new settlement. Supporters o James, kent as Jacobites (frae the Latin for James, *Jacobus*), had rallied in the Hielands an a battle wis focht (an wan) against government forces at Killiecrankie in 1689. Altho this rebellion petered oot, resentment didna, especially in the Hielands, whaur mony o the clans remained leal tae the Stewart dynasty.

A couple o years on, the government decided tae mak an example o the MacDonalds o Glencoe, a clan weel-kent for their Jacobite tendencies an their general disregaird for the law. Their chief wis tellt tae sign an aith o allegiance by the first day o January 1692 or thole the consequences. MacDonald wis an auld man an by the time he set oot tae obey, fierce winter storms had set in, haudin him back. Altho he did sign, his signature wis deemed tae be ower late.

The government sent a detachment o sodgers tae Glencoe wi orders for them tae wipe oot awbody unner the age o seventy. The orders were signed by the high-heid-yins o the time, includin King William himsel. At the stert o February, the troops arrived in Glencoe an spent a week ludgit in the hooses o the men an women they had come tae kill. On 6 February, thirty-eicht villagers were either massacred by the sodgers, or deed in the snaw as they tried tae escape.

Massacre at Glencoe

The nummer o daiths wisna large by the standards o violence o the day. But it wis the treachery, an the involvement o the government, that made this incident sae notorious. There wis an official report intae the massacre, but there wis nae coort o international justice in thae days an nane o the men responsible for plannin it wis punished. Even folk in the Lawlands, that had nae great love o Hielanders, were ootraged at whit had happened. Altho it was maistly Scots that were involved in the crime, they felt it wis a guid example o bad government frae Lunnon.

Famine an Darien

In the late 1690s, there wis a rin o bad simmers an autumns. Richt across Northern Europe, snell wunds an dingin rain gart the hairsts fail awmaist completely. Scotland wis yin o the countries maist sairly affected, wi the result that for fower years there wisna enough for awbody tae eat. Them wi least siller were, o coorse, the worst hit. 'Everybody may see Death in the Face of the Poor,' Sir Robert Sibbald, a kenspeckle physician, recordit. Famine daunered throu the land, sneddin bairns, the auld an the seik athoot mercy.

The Scottish economy wisna performin at aw weel. Merchants an ithers wantit mair chances tae trade wi the ootside warld, but English laws widna let them in amang the colonies o the Caribbean, America, Africa an India. Sae the Scots decided tae strike oot on their ain. In 1695 Parliament established a company cried the Company of Scotland Trading to Africa and the Indies. They wantit tae set up a colony in Darien on the Isthmus o Panama in Sooth America. The idea wis no jist tae trade wi the Caribbean an American colonies, but tae bigg a road across the Isthmus an thus open a new route tae the East Indies.

They socht investment baith frae within an ootwith Scotland, but English merchants, feart that the Scots wid brak their tradin monopolies, petitioned their ain Parliament an King William (Queen Mary by noo wis deid) no tae gie the Company of Scotland ony assistance. In the end, the Scottish population had tae finance the scheme themsels, tae the tune o £400,000 – a vast sum at the time, atween a quarter an a hauf o Scotland's total capital. For twa year the Company redd up for the venture, biggin ships an buyin in supplies. In July 1698 five ships steched wi settlers set aff frae Leith, tae foond the new colony o Caledonia.

Scotland's first an last colony

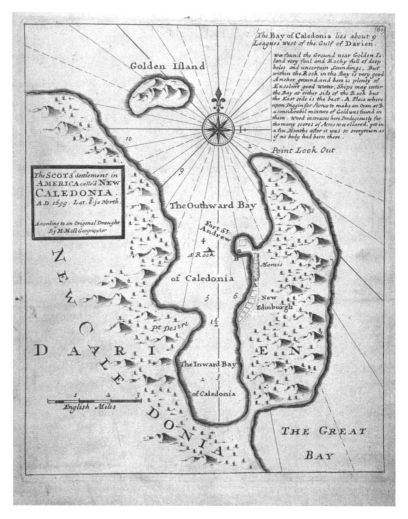

'The Scots Settlement in America called New Caledonia', a map o 1699 by
H.Moll. The Darien Scheme wis a disaster for Scotland, but the area
whaur the colony wis established is still kent as Puerto Escoces

The haill scheme wis a disaster. The Spanish had lang been
present in the region, an were gey ill-willed tae the Darien
colony. The English were content tae see it fail, an did
awthing they cud tae taigle its success, forbiddin their colonies
tae trade wi the Scots. Disease, puir weather an the three-
month voyage took its toll on the colonists. The scheme wis

badly organised, unner-financed an there wis nae back-up plan when things stertit tae gae wrang. By the year 1700, twa thoosan people had deed, an the colony wis abandoned. Scotland's awready grievous economic situation wis noo a sicht waur.

Relations wi England

The general feelin in Scotland wis that the Darien Scheme's chances o success had been sairly hurtit, if no completely cowpit, by England. The Scottish Parliament passed a resolution on 10 January 1700 cryin the English Parliament's behaviour 'an undue Intermeddling in the Affairs of the Kingdom and an Invasion upon the Sovereignty and Independence of our King and Parliament'.

Relations deteriorated further when the question o wha wid succeed William on the throne wis raised. William had nae bairns o his ain, an altho his successor Anne had eichteen they aw deed afore she did. The English Parliament decided tae settle the Croon on the German Hoose o Hanover, in order tae secure a Protestant succession. The Scottish Parliament thocht it should hae been consulted. It passed several Acts makkin clear that it had the richt tae decide wha wid be Scotland's nixt monarch.

Scunnered wi the wey the English had behaved ower Darien, the Scots began tae develop their ain foreign policy, an the English struck back in 1705 wi the Alien Act, which threatened tae ban Scottish imports an prevent Scots frae ownin property in England, unless negotiations for a political an economic Union were entered intae. England wis faur an awa Scotland's biggest mercat. The pressure wis immense. When the Scottish Parliament met later that year, awbody kent that some kind o negotiations had tae stert.

The Union

The arguments in favour o Union can be summarised briefly as:

* an end tae trade restrictions for Scots merchants an the openin o new mercats
* mair prosperity as a result
* securin a non-Stewart, Protestant succession tae the Croon (no an advantage if ye were a Jacobite)
* permanent peace wi England

The arguments against Union can be summarised briefly as:

* loss o political independence
* loss o Scotland's ain Parliament
* increased taxation, an loss o control ower the Scottish economy
* the end o the Stewart dynasty (a disadvantage ainly if ye were a Jacobite)

There were pooerfu interests in Scotland that had tae be satisfied afore they felt easy aboot the prospect o Union. The Kirk wis fashed that in the future its independence an Presbyterian form micht no be safe, sae it wis agreed that these wid be guaranteed in the proposed Treaty. Likewise, the legal profession wantit tae protect *their* interests an the independence o Scots Law. There wis also a widespreid hope that English siller wid find its wey intae Scots pooches an help tae affset the losses that mony merchants, lairds an nobles had incurred wi the failure o the Darien Scheme. Indeed, some £20,000 wis disbursed amang the Parliamentary commissioners tae help them mak up their minds. There wis a further sum o

Bribery or compensation?

£398,000 peyed tae Scotland tae compensate it for takkin on its share o England's national debts. But it wis also specified unner Article 15 that this sum, kent as the Equivalent, cud be yaised tae pey back some o the siller lost by investors in the Darien Scheme. Whether ye think on this as bribery or compensation, there is nae doot that it had a douce effect on thae commissioners that stood tae gain by it.

But whitiver the financial an practical advantages the Union micht bring tae some, the great majority o the Scottish people didna want onything tae dae wi it at aw. They jaloused that there wis mair in it for England than for Scotland, an that yince the Scottish Parliament wis gane the Westminster yin wid be able tae pass ony law it likit an the Scottish representatives widna be able tae stap it. As there wid be ainly sixteen Scottish peers in the Hoose o Lords an forty-five Scottish MPs in the Hoose o Commons (oot o five hunner and fifty-eicht – less nor ten per cent o the haill), they wid ayewis be ootvoted by their English coonterpairts.

Negotiations for Union

Commissioners were sent tae Lunnon in April 1706 tae negotiate the Treaty, an three month later the Articles o Union had been drawn up. The Scottish commissioners were selected by Queen Anne, no by Parliament, wi the result that maist o them were pro-Union onywey. The Scots did propose a *federal* raither than *incorporatin* Union (in a federal Union baith countries wid retain their ain Parliaments an continue tae rin maist o their ain domestic affairs) but the English commissioners said that wisna acceptable an the idea wis drappit.

Back in Embro, it wis noo time for Parliament tae debate an approve the Articles o Union. This took frae October 1706 tae January 1707, as the Articles were inspected clause by clause. While impassioned speeches were made for the Union by the Duke o Queensberry an the Earl o Mar, an against it by Lord Belhaven an Andrew Fletcher o Saltoun, petitions against it poored in frae aw the airts – frae Forfar, Stirling, Dumbarton, Linlithgow, Lanark, Berwick, Peterheid an else-whaur. Twenty burghs, fowerteen shires, sixty parishes an three presbyteries sent in petitions – a pro-Union commissioner thocht they should be made intae kites. In fact, tho, faur mair burghs (46), shires (20), parishes (878) an presbyteries (65) *didna* send in petitions. But there were, as weel, mony letters an petitions frae individuals, trades an even schuils objectin tae the Union.

Oot in the streets the mood wis crabbit, tae pit it mildly. There were riots in Glesca, an copies o the Articles were burnt in Dumfries an ither touns. In Embro the air wis thick wi the stour o pamphlets an political argument, while the city mob gaed on the randan awmaist on a daily basis, as this extract frae a contemporary diary (belangin Sir David Hume o Crossrig) shaws:

> *Friday, Oct. 25 1706. The Chancellor told the Parliament ... That since their last meeting there happened a mob in the town; and even before the Parliament's rising in the Parliament Close they attacked the Earl of Errol's Guards, and offered to burst up the door; That they went down the streets crying, and insulted the Members of the House and particularly had come to Sir Patrick Johnston's [a pro-Union man] House with forehammers, &c.; That the Council finding the tumult increased to the number of 1000, and that the Town was not able to compesce [restrain] it, thought fit to send in some of the regular forces for the safetie of the town and Members of Parliament.*

The same Sir Patrick Johnston had been Provost o Embro an yin o the commissioners sent tae Lunnon tae negotiate the Treaty, which explains hoo the mob singled him oot for special treatment. 'They assaulted his house,' anither accoont says, 'broke his door giving him names & calling out that they would massacre him for being a betrayer & seller of his country.'

In spite o this kind o severe intimidation, the pro-Union majority in Parliament widna be sweyed, an on 16 January 1707 the final vote wis taen whether or no tae approve the Treaty o Union, a hunner an ten commissioners voted tae approve, an sixty-seiven were against, a majority o forty-three. There were forty-six abstentions or absentees.

The Treaty wis approved by the English Parliament no lang efter, an received the assent o Queen Anne on 6th Mairch. *The end o an auld sang?* The Union wis tae come intae effect on 1st May 1707. An official copy o the English Act wis sent tae Scotland, an when the Earl o Seafield (Chancellor o the Scots Parliament an anither o the pro-Union commissioners) signed this he made the famous, sneistie remark, 'Noo there's ane end o ane auld sang,' meanin that he wis pleased tae see the end o Scottish independence. At Westminster the Speaker o the Hoose o Commons wis reported as sayin, 'We have catched Scotland and will not let her go.'

The last meetin o the Estates o Scotland in the auld Parliament took place on 25 Mairch 1707. But as we noo ken, that *wisna* the end o an auld sang.

The Union in Literature

As we hae seen, there were arguments baith for an against the Union o Parliaments. It's no surprisin tae find twa o Scotland's greatest writers pittin pen tae paper aboot it. The sense o popular ootrage at the wey some o the men involved conducted theirsels, acceptin bribes an titles in exchange for signin the Articles, is maist famously captured in Robert Burns's sang 'A Parcel of Rogues in a Nation':

A Parcel of Rogues in a Nation

Fareweel to aw our Scottish fame,
Fareweel our ancient glory!
Fareweel ev'n to the Scottish name,
Sae famed in martial story!
Now Sark rins over Solway sands,
An Tweed rins to the ocean,
To mark where England's province stands –
Such a parcel of rogues in a nation!

What force or guile could not subdue
Thro' many warlike ages
Is wrought now by a coward few
For hireling traitor's wages.
The English steel we could disdain,
Secure in valour's station;
But English gold has been our bane –
Such a parcel of rogues in a nation!

O, would, or I had seen the day
That Treason thus could sell us,
My auld grey head had lien in clay
Wi Bruce and loyal Wallace!
But pith and power, till my last hour
I'll mak this declaration: –
'We're bought and sold for English gold' –
Such a parcel of rogues in a nation.

But there's aye twa sides tae ilka story. Sir Walter Scott, wha wis a lad o jist fifteen on the occasion when he met Burns at a freen's hoose in Embro, wis as passionate a Scot as the aulder poet but he had mair mixed feelins aboot the Union. In Scott's novels, there are twa weel-kent passages whaur some o the characters discuss its pros an cons. In *The Heart of Midlothian*, set in 1736, Captain John Porteous, an officer o the City Guaird, has been fund guilty o orderin his sodgers tae open fire on a crood at a public hingin, an is himsel tae be hingit. The guid citizens o Embro gaither tae witness this, but are frustrated an affrontit when a last-minute reprieve comes throu frae the government in Lunnon, an Porteous is spared.

Robert Burns (1759–96), by an unkent artist, probably pentit in 1859 tae merk the centenary of the poet's birth

Here is some o the crack amang the citizens as they traipse hame frae the Gressmercat up the West Bow:

> *'An unco thing this, Mrs Howden,' said old Peter Plumdammas to his neighbour the rouping-wife, or saleswoman, as he offered her his arm to assist her in the toilsome ascent, 'to see the grit folk at Lunnon set their face against law and gospel, and let loose sic a reprobate as Porteous upon a peacable town!'*
>
> *'And to think o the weary walk they hae gien us,' answered Mrs Howden with a groan; 'and sic a comfortable window as I had gotten, too, just within a penny-stane-cast of the scaffold – I could hae heard every word the minister said – and to pay twal pennies for my stand, and a' for naething!'*
>
> *'I am judging,' said Mr Plumdamas, 'that this time wadna stand gude in the auld Scots law, when the kingdom was a kingdom.'*
>
> *'I dinna ken muckle about the law,' answered Mrs Howden; 'but I ken, when we had a king, and a chancellor, and Parliament-men o our ain, we could aye peeble them wi stanes when they werena gude bairns – But naebody's nails can reach the length o Lunnon.'*

In *Rob Roy*, Scott deals wi the same maitter throu twa verra different characters. On the tae haun, there is Andrew Fairservice, a man sae scunnered wi England (tho he has lived a guid deal o his life there) that when his horse casts a shae he even blames *that* on the ill effects o the Union. On the tither haun, Bailie Nicol Jarvie is a merchant an magistrate o Glesca, a man that's Scottish throu an throu but sees the economic advantages o the Union, especially the openin up o trade wi the West Indies an America. Here's whit they hae tae say. Jarvie speaks first:

Sir Walter Scott(1771–1832)

'Whisht, sir! – whisht! it's ill-scraped tongues like yours that make mischief atween neighbourhoods and nations. There's naething sae gude on this side o time but it might hae been better, and that may be said o the Union. Nane were keener against it than the Glasgow folk, wi their rabblings and their risings, and their mobs, as they ca them nowadays. But it's an ill wind blaws naebody gude – I say, Let Glasgow flourish! whilk is judiciously and elegantly putten round the town's arms, by way of byword. – Now, since St Mungo catched herrings in the Clyde, what was ever like to gar us flourish like the sugar and tobacco trade? Will onybody tell me that, and grumble at the treaty that opened us a road west-awa yonder?'

Andrew Fairservice was far from acquiescing in these arguments of expedience, and even ventured to enter a grumbling protest, 'That it was an unco change to hae Scotland's laws made in England; and that, for his share, he wadna for a' the herring barrels in Glasgow, and a' the tobacco casks to boot, hae gien up the riding o the Scots Parliament, or sent awa our crown, and our sword, and our sceptre, and Mons Meg [see below], to be keepit by thae English pock-puddings in the Tower o Lunnon. What wad Sir William Wallace, or auld Davie Lindsay, hae said to the Union, or them that made it?'

Mons Meg

Muckle Meg or Mons Meg is Scotland's biggest gun, biggit in Mons in Flanders in 1449, an gien tae James II by his uncle Philip o Burgundy in 1457. It wis yaised as a siege gun in the wars atween Scotland an England. It weighs mair nor five tons, is fower metres in lenth, an has a 50cm calibre. It wis taen tae the Tooer o Lunnon in the 18th century an ainly returned tae Scotland in 1829 at the request o Sir Walter Scott. It can noo be seen in Embro Castle.

Efter the Union:
Scotland withoot its ain Parliament 1707–1999

Jist because Scotland's Parliament ceased tae exist in 1707 didna mean that the administration o the country ceased an aw. Laws still had tae be made, but frae noo on they wid be made at Westminster. The British government wid appynt a weel-kent Scottish politician tae manage Scottish affairs, wi a nummer o officials tae cairry oot instructions in Scotland itsel. The day-tae-day rinnin o the country wis thus still maistly cairried oot by men based in Embro an ither pairts o Scotland.

It's important tae mind that in thae days the ordinary people had nae say in hoo Scotland – or England, or awmaist ony ither country for that maitter – wis governed. There were elections tae the new British Parliament but in Scotland ainly a few thoosan men o property had the vote, in a country wi a population o mair nor a million. Jist twenty-five men, for example, selected the MP for Embro.

As faur as the government wis concerned, the important thing wis tae keep the forty-five Scots MPs an sixteen Scots peers happy, an this wis done by 'patronage' – giein them weel-peyed jobs, pensions an ither benefits in exchange for their lealty. This soonds, an aften wis, corrupt, but it wis the normal wey o daein things in the 18th century.

The Union didna seem tae be that guid for Scotland tae begin wi. As had been feared, taxes increased in the years efter 1707, Westminster awmaist immediately stertit tae interfere wi the independence o the Kirk, an thae Scots that were Jacobites kept lookin for weys tae steir up trouble. For a while it even seemed that the Scots wid decide tae opt oot again. But in reality, they cudna. Efter a shooglie stert, Scotland

Ill effect o the Union

became mair prosperous than it had iver been afore, as its trade no jist wi England but wi the colonies developed, an as its agriculture an manufactures improved. Whether this wis on accoont o the Union, or in spite o it, has been argued aboot by historians iver sinsyne.

The people that maist misliked the Union were the Jacobites, an in the first hauf o the century they were aye plottin tae rise up an pit the Stewarts back on the throne, either in Scotland or England but preferably baith. There wis a fou-scale Risin in 1715, but it cam tae naething efter the indecisive Battle o Sheriffmuir, concernin which a sang o the time had this tae say:

Battle o Sheriffmuir

> *There's some say that we wan,*
> *An some say that they wan,*
> *An some say that nane wan at aw, man;*
> *But ae thing I'm sure,*
> *That at Sheriffmuir*
> *A battle there wis that I saw, man.*
> *An we ran, an they ran, an they ran an we ran,*
> *An we ran an they ran awa, man!*

Faur mair serious wis the Risin o 1745, which stertit wi Prince Charles Edward Stewart, the grandson o James VII, landin in the West Hielands an summonin the Jacobite clans tae his standard. In jist a few months, Charles (or Bonnie Prince Chairlie, as he is better kent) occupied Embro, defeated General Sir John Cope at Prestonpans (there's a fine ballad aboot thon battle, tae: 'Johnnie Cope', scrievit by a man cried Adam Skirving) an mairched sooth towards Lunnon, pittin the haill o England in a panic. But his airmy turned back at Derby, an wis finally defeated in April 1746 at Culloden, near Inverness – the last

Battle o Culloden

pitched battle iver focht in the British Isles. Efter Culloden the Jacobite cause wis weel an truly in the sheuch.

Yin o the Jacobites' promises had been that they wid restore Scotland's Parliament, but the record o the Stewart kings wisna guid as faur as ony parliament wis concerned. The 'Forty-five wis a bauld an romantic adventure, but it wis mair an attempt tae turn the clock o history back nor forrit. Whit wis waur, its defeat brocht the wrath o the Hanoverian government doon on the Hielands, an led tae the destruction o the clans an much o Gaelic culture.

By the end o the 18th century, tho, political chynge o a new kind wis in the air. The American an French Revolutions had taen place, an there wis unrest amang the people o the British Isles tae, as their haill warld began tae alter wi the Industrial Revolution. Radicals demanded political reform an were jyled, transportit tae Australia an even whiles executed *Revolutions an Reform* for speakin oot. But mair moderate opinion also turned up the pressure, an in 1832 the Reform Act wis passed, bringin mony mair property-ownin men intae the political process. In Scotland, the electorate increased mair nor tenfauld, tae aboot 65,000. It wisna democracy, but it wis a step in that direction.

Prince Charles Edward Stewart (1720–88), by Cosmo Alexander. Pentit in Rome in 1746, jist months efter the Battle o Culloden

At the same time, Scots were remindin themsels that, tho they micht noo be pairt o the great adventure cried the British Empire, they had a lang an prood heritage o their ain tae. The poetry o Robert Burns, an especially the poems an novels o Sir Walter Scott, did mair tae strenthen the idea o Scottish identity nor ony political reform. This wis also the period when 'Scottishness' began tae be defined in terms o certain images o Hieland culture – clans, tartans, bagpipes, moontain scenery an the like. The influence o Sir Walter wis crucial tae this – his books were fou o gallus Hieland heroes like Rob Roy MacGregor – altho his ideas were aften exaggerated an distorted by ither people. This new idea o Scotland wis becomin weel-kent aw ower the warld.

But if this brocht in mair visitors an gied the country a gey romantic image, it didna tell the story o a country that wis mair an mair a place o factories, mines, ironwarks, linen an claith manufacturin, fusheries an railweys. Mony Scottish people felt that the real Scotland wis ignored, an that Lunnon politicians peyed scant heed tae Scottish affairs. In the 1850s a group cried the National Association for the Vindication o Scottish Rights wis foondit, an tho it didna last lang

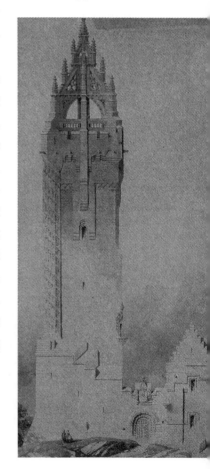

The National Wallace Monument, designed by J.T. Rochead, wis biggit on the Abbey Craig, by Stirling. The foondin stane wis laid in 1861, an the Monument wis completed in 1869

it wis a symptom o wide-felt miscontent. It wis at this time tae, lang afore Mel Gibson starred in *Braveheart*, that statues an memorials tae Sir William Wallace were bein heezed up in different airts, the best-kent bein the monument on the Abbey Craig by Stirling, biggit in the 1860s.

This wisna jist aboot nostalgia an romanticism. British governments had tae admit that Scotland had special needs an interests that a distant administration in Lunnon cudna weel address. Jist makkin a new law cud be complicated by the fact that Scotland's legal system wisna the same as England's. Scottish education, local government, banks, law an mony ither aspects o life were aw different tae.

The Scottish Office set up

In 1885 the post o Secretary o State for Scotland wis established, an wi it the Scottish Office – a civil service depairtment based in Embro wi specific pooers tae administer policy in Scotland. The follaein year, the Scottish Home Rule Association wis formed. It wantit Scotland tae hae its Parliament back again.

Whit wis sae different at the end o the 19th century frae a hunner year afore? Scotland had chynged frae bein a maistly rural, agricultural country, tae bein a maistly urban, industrial yin. The population had growen tae 4.5 million, an mair an mair folk were educated, an took an interest in hoo the country wis governed. But there wis terrible poverty an social injustice tae, especially in cities like Glesca an Dundee, an trade unions an ither labour organisations were fechtin for a better life for their members. Great nummers o folk continued tae emigrate tae Canada, Australia, Sooth Africa, America, New Zealand an ither pairts o the warld because life wis sae teuch at hame. Mony people began tae think that the best wey tae mak Scotland a better place tae bide in wis tae bring the wey it wis governed closer tae the

Demands for Hame Rule

people. The Liberal Pairty, which in thae days wis, alang wi the Conservatives, yin o the twa pairties that formed governments, supported the idea o Hame Rule for Scotland. Sae did the newly formed Labour Pairty. In the early years o the 20th century Hame Rule micht even hae been grantit, but it an a wheen ither political considerations, like votes for women, had tae be hauden back in 1914, when the First Warld War broke oot.

Efter this terrible war naething cud iver be the same again. Ye cudna send thoosans o men oot tae the trenches tae be slauchtered for their country an no expect them tae want their country tae be a place worth bein slauchtered for. Ye cudna hae women daein the wark that the men had done an no gie them an equal vyce. In 1918 a new Reform Act gied the vote tae awmaist aw men ower the age o twenty-one an tae women ower the age o thirty. In 1928, the votin age wis made the same for baith sexes. For the first time in British history, the haill people cud decide wha wis tae govern them.

This is a fact that's no ayewis mindit the day. We whiles imagine that we hae had a democracy for generations but the United Kingdom has ainly been a yin-person, yin-vote democracy for jist ower seiventy year – the lenth o an average lifetime. In the coorse o that lifetime, Scotland decided, efter a lang debate, tae hae its Parliament back again.

The Campaign for a Modren Parliament

By the 1920s, Labour had replaced the Liberal Pairty as the main challenger tae the Conservatives (or 'Tories') in British General Elections. By the 1930s, Labour's commitment tae Hame Rule for Scotland had aw but vainished. Baith Conservative an Labour politicians saw Westminster as the centre o pooer. There wis nae need, they thocht, tae hae a Scottish Parliament because Westminster did a fine job, an government policies were cairried oot efficiently throu the administration o the Scottish Office. The fact that there wis nae elected body that cud haud thae policies an that administration tae accoont, forby the Westminster Parliament, that had neither the time nor the desire tae spend lang on Scottish maitters, didna cairry muckle wecht. But anither political pairty developed atween the twa warld wars tae challenge this view.

Rise o the SNP

The Scottish National Pairty emerged in the 1930s oot o fower wee-er groups, but for the first thirty years o its existence it didna seem tae hae muckle significance an wis either ignored or lichtlified by the ither pairties. The Scottish Nationalists didna believe in the Union at aw. They wantit complete independence for Scotland. It didna seem as if mony Scots agreed wi them, but in 1967 the SNP candidate Winnie Ewing wan a by-election at Hamilton, defeatin Labour, an suddenly Scottish Nationalism wis big political news. In fact, this breakthrou had been on the cairds for some wee while, but the ither pairties had been ower complacent tae see it comin.

It wisna that the SNP arrived on the stage wi a haill set o policies that awbody suddenly thocht were richt. The pairty had tapped intae a wider sense o miscontent that had been growein for a lang time – a sense that Scotland simply wisna bein that weel governed, that it wis lossin ower mony o its youngest an best folk ivery year throu emigration, that it ocht tae be a richer, healthier, less dour place tae bide in – an that mibbe yin wey tae achieve that wid be either *devolution* o some o Westminster's pooers tae Embro, or fou *independence*. O coorse, there were plenty folk that thocht the *status quo* warked weel enough, an that it wis daft tae set oot tae sort whit didna need sortin. The argument atween thae three options – the status quo, devolution or independence – wis tae fizz back an fore ower the next thirty year, wi the SNP's vote at General Elections an by-elections gaun up an doon like a yo-yo an baith Labour an the Conservatives, an the ither pairties, haein tae rethink their views on hoo Scotland, an the ither pairts o the UK, were governed.

Three weys forrit for Scotland

Labour wis in government frae 1974 tae 1979, an, feelin the wund o nationalism breathin doon its craig, it cam up wi a scheme for a devolved Scottish Assembly that wid be based in Embro. There were aw kinds o difficulties wi this scheme. Altho there were many Labour politicians that genuinely wantit tae see Scottish devolution wark, the scheme which wis arrived at wis a haufwey-hoose, a mixter-maxter, because the government, which had a tottie wee majority (an for a while no even that) in the Hoose o Commons for maist o this period, wis ettlin tae fecht aff the SNP on the tae haun, an feart o scunnerin its ain supporters on the tither. At last the scheme wis pit tae a referendum on 1 Mairch 1979, an sixty-fower per cent o the Scottish electorate turned oot tae vote on it. But the result wis gey mixed – a reflection, mibbe, on the plan itsel. Aboot a third o the electorate voted for the Assembly, aboot a third voted against it, an aboot a third didna bather tae vote at aw. Altho the *aye* vote wan a nerra victory, the referendum had been set up sae that mair than forty per

The 1979 Referendum

cent o the total electorate had tae vote aye afore devolution cud gang aheid. It seemed that the Scottish people jist werena convinced. Insteid o sayin decisively *aye* or *na*, they said *mibbe*.

It wisna enough. A few weeks later there wis a General Election, an the Conservative Pairty unner Margaret Thatcher wan. The Tories hadna aye been opposed tae some kind o devolution, but unner Mrs Thatcher they widna gie it hoose room. The idea o a Scottish Parliament o ony kind seemed tae hae been consigned tae the cowp o history.

For much o the 1980s, Margaret Thatcher's Conservative government didna hae tae fash muckle aboot the idea o Scottish devolution or independence. The main opposition pairties (Labour, the SNP an the Liberals), tho they aw supported some form o Hame Rule, were either ower weak or ower riven wi internal splits an stushies tae cause ony bather. In election efter election a majority o Scots voted for these pairties, but aye woke up the nixt mornin tae find they were still ruled by a Conservative government elected by England. The auld 18th-century worry aboot Scottish MPs ayewis bein ootvoted by English yins became a reality in the 1980s. The Scots cud girn tae the coos cam hame, but the government wisna listenin.

Meanwhile Scottish an British society wis chyngin, as heavy industries like minin an shipbuildin gaed intae decline an newer yins, like electronics, replaced them. But by the saicont hauf o the decade, the Scottish opposition forces were beginnin tae regroup an tae wark, tae some extent, in co-operation wi ilk ither. Whiles it wis whit they were opposed tae that gart them wark thegither – like the Community Chairge or Poll Tax, for example, a new tax introduced tae pey for local government that wis gey unpopular wi maist Scots because awbody, rich or puir, wis supposed tae pey the same amoont. But they had an idea tae unite them as weel, an that idea – even tho they micht disagree aboot the fine details – wis a Scottish Parliament.

A haill reenge o groups an individuals had taen anither keek at this idea an decided that this time they *had* tae come up wi a better plan than the 1979 yin. There wis nae pynt in devisin a new wey o rinnin the country if the country either didna unnerstaun or didna care. Insteid o devolution bein something haundit doon tae the Scottish people frae government, it had tae be something the people themsels really wantit. An alliance o individuals an organisations that were thinkin alang these lines formed the Campaign for a Scottish Assembly in 1980, an aw throu the rest o the decade these an ither folk looked hard at the haill question o Scottish identity – in culture, literature, music, art, sport an history as weel as politics – an speired a few questions: hoo can we mak oor country a better place tae bide in? Hoo can we mak government mair accoontable, sae it canna impose policies like the Poll Tax when a big majority o the popu-

lation is opposed tae sic policies? But mibbe the deeper question, lyin ablow these yins, wis this: dae we even care aboot whether we're Scottish or no? The answer, it seemed, wis aye.

O coorse, the argument frae the tither side wis also

John Smith (1934–94), leader o the Labour Pairty, wha cried the establishment o a Scottish Parliament 'unfinished business' valid: devolution *widna* mak Scotland a better place. Scotland didna need mair politicians, an it didna need anither layer o government that micht cost a wheen siller an micht hae aw kinds o disagreements wi Westminster. Scotland, this argument said, wis a puir pairt o the United Kingdom an if it had its ain parliament taxes micht hae tae rise tae pey for it. Some thocht that devolution wid be the stert o a sliddery brae that wid ainly end wi fou independence – did folk really want tae see the 'break-up o Britain'? Forby aw this, mony folk didna like the politics o 'identity' an nationalism. They thocht they were jist saft versions o racism an bigotry. Aw these arguments are aye wi us the-day.

Near the end o the 1980s the political tide began tae rin a wee bit mair towards thae folk that wantit tae see constitutional chynge. In 1987 the SNP chose a new leader, Alex Salmond, wha believed in independence but wis pragmatic enough tae see that the Scots were niver gaun tae land there in yin muckle lowp. The Liberal Democrats (the Liberals chynged their name tae this in 1988 efter jynin forces wi the short-lived Social Democratic Pairty) had ayewis been in favour o Hame Rule, an their leaders were willin tae wark wi onybody that shared this view. But the ainly pairty that had a realistic chance o defeatin the Conservatives in a British General Election wis Labour, an it wis in the Labour Pairty that maist re-thinkin had tae be done.

Amang thae Labour politicians that had lang been genuinely thirlt tae the idea o Scottish sel-government were *John Smith an* twa auld freens that had been students at Glesca University *Donald Dewar* thegither: John Smith an Donald Dewar. Referrin tae the referendum o 1979, Smith cried the need tae re-establish a Scottish Parliament 'unfinished business'. When he became leader o the Labour Pairty in 1992, efter its third General Election defeat in a raw, the Pairty had a man at its heid that wis totally committit tae this policy. In Donald Dewar, Smith had an ally tae manage the Scottish end o things while he got on wi the task o getting Labour elected across the haill UK.

Meanwhile, oot o the Campaign for a Scottish Assembly had growen a new body, the Scottish Constitutional Convention, whase members gied themsels the task o reddin up whit wis described as a 'practical blueprint' for an Assembly. (But awready that word *assembly* didna soond strang enough. Mair an mair, folk spak o a *parliament*.) In 1988, as pairt o the process o settin the Convention up, its steerin committee had published a document cried the *Claim o Right*. If that soonds familiar, it's because it is: this document wis an echo o aulder documents, includin the Declaration o Arbroath, the National Covenant an the Claim o Right o 1689. It argued that the government wis noo treatin the wishes o Scotland's people wi sic disdain that 'the spirit underlying the Treaty of Union has been eroded almost to the point of extinction'. The people had been gey patient, but they widna be patient for iver (as anger ower the Poll Tax wis shawin), an they had the richt tae tak control o their ain political affairs. It wis up tae Scotland's politicians, at baith national an local level, an tae its ither institutions, tae respond tae this constitutional crisis.

The Constitutional Convention

The Constitutional Convention did jist that. In the end, aw the political pairties forby the Conservatives (still implacably set agin ony kind o Scottish devolution) an the SNP (they jist cudna bring themsels tae sit doon wi their auld enemies in the Labour Pairty) signed up tae it: Labour, Liberal Democrats, Greens, Communists; fifty-nine oot o Scotland's sixty-five local Cooncils; the Scottish Trades Unions Congress; the Scottish Convention o Women; representatives o the different kirks an o ethnic minorities' organisations; an mony ithers. At its inaugural meetin in Embro in Mairch 1989, the Convention agreed tae speak wi a single vyce on behauf o the Scottish people; tae wark oot a scheme for a Parliament; tae 'mobilise Scottish opinion and ensure the approval of the Scottish people for that scheme; and to assert the right of the Scottish people to secure implementation of that scheme'.

Braw words, but whit if the government jist shook its heid an ignored whitiver plan the Convention cam up wi? Or, as the Convention's chairman Kenyon Wright pit it, referrin tae Mrs Thatcher: 'What if that other single voice we all know so well responds by saying, "We say no, and we are the state"? Well, we say yes – and we are the people.' This act o defiance wis braidcast aw ower the warld. Against aw the odds, the campaign tae re-establish Scotland's Parliament wis gainin grund.

In 1994 John Smith suddenly deed, an sae wis unable tae feenish the 'business' as he had hoped. He wis replaced as leader o the Labour Pairty by Tony Blair. Blair continued tae rely on Donald Dewar as the man maist capable o realisin the plans for a Scottish Parliament. In the 1997 General Election, Labour wis elected in a landslide victory: aw

Donald Dewar (1937–2000), campaigner for a Scottish Parliament, an the first First Minister when it wis re-established

the opposition pairties in Scotland did weel at the expense o
the Tories, wha seemed tae hae decided, as the novelist an
political commentator Allan Massie pit it, tae dee in 'the last
ditch of Unionism'. Ivery single Scottish Tory MP tint their
seat. There had niver been muckle doot that Labour wid win
the Election: but the annihilation o the Conservatives in
Scotland cud ainly be explained by their refusal tae shift on
the issue o a Scottish Parliament.

A New Parliament

Efter the General Election there wis plenty o wark tae be done afore the Parliament cud become a reality. It wis decided that the Scottish people had tae be consulted yet again, in a new referendum, as tae whether they really wantit the Parliament an whether they wantit it tae hae the pooer tae vary the Scottish rate o taxation. That referendum wis held on 11 September 1997, a week efter the daith o Diana, Princess o Wales, an seiven hunner year tae the day efter William Wallace's famous victory at Stirling Brig. The result wis decisive: seventy-fower per cent voted for the Parliament, sixty-three per cent for the tax-varyin pooer. The people had spoken, an they had said *yes*; or, if ye like, *aye*.

The 1997 Referendum

Jist as in 1707 the Scottish Parliament had had tae pass an Act agreein tae the Articles o Union, sae an Act o the *British* Parliament had tae be passed tae re-establish the Scottish yin. That Act wis draftit in 1998. It begins wi the simple statement, 'There shall be a Scottish Parliament'. Twa year on, the lang an dreich wark o reddin up the necessar legislation wis feenisht. It had been decided whit pooers the Parliament in Embro wid hae, an whit yins wid be retained by Westminster. A new buildin wis tae be biggit at the fit o the Royal Mile, near tae the Palace o Halyrood, as a permanent hame for the Parliament, but in the meantime the Assembly Hall o the Church o Scotland on the Mound wid be yaised.

The first iver *democratic* elections tae a Scottish Parliament – wi votes cast an coontit unner a new system o proportional representation – were held on 6 May 1999, resultin in the Labour Pairty winnin the maist seats (altho no enough tae form a government withoot gaun intae a coalition wi anither pairty). On 12 May, the Parliament had its first meetin. It wis left tae the auldest member o the new Parliament, a certain Mrs Winnie Ewing, that had wan the Hamilton by-election for the SNP awa back in 1967, tae open proceedins wi a wee reminder that *some* business had been left unfeenisht for gey near three hunner year: 'The Scottish Parliament,' she said, 'adjourned on the twenty-fifth day of March 1707, is hereby reconvened.'

Parliament reconvened

Twa month efter this, on 1 July 1999, Parliament wis officially opened by Queen Elizabeth. The new MSPs gaithered first in the auld Parliament Hoose (see p.75), syne walked up the street, that wis lined wi thoosans o cheerin an wavin folk, tae the Mound. There wis a conscious echo o the auld ritual o the Ridin o the Parliament, as the Queen, preceded by moonted sodgers in ceremonial uniform, rode in an open

coach frae Halyroodhoose up the Royal Mile tae the Assembly Hall. There she presented the MSPs wi a specially made mace inscribed wi the words 'There shall be a Scottish Parliament', an declared the Parliament open. 'I have trust in the good judgment of the Scottish people,' she said.

Donald Dewar, in his answerin speech, cried the occasion 'a moment anchored in our history'. 'The past is part of us,' he said. 'But today there is a new voice in the land, the voice of a democratic parliament. A voice to shape Scotland, a voice for the future.'

The Queen's procession up the Royal Mile, Embro, tae open the Parliament on 1 July 1999, had echoes o the auld ceremony o the Ridin o the Parliament

Robert Burns, in his poem 'A Parcel of Rogues in a Nation' (see p.92) had miscawed the auld Parliament for sellin itsel for 'English gowd'. But it wis a nobler set o words by Burns that seemed tae sum up this new day in Scottish history. In front o the gaithered MSPs, an on TV screens across the land, the singer Sheena Wellington poored oot Burns's great hymn tae equality an justice, 'A Man's a Man for Aw That':

> *Then let us pray that come it may*
> *(As come it will for aw that)*
> *That Sense an Worth ower aw the earth*
> *Shall bear the gree an aw that!*
> *For aw that, an aw that,*
> *It's comin yet for aw that,*
> *That man to man the warld ower*
> *Shall brithers be for aw that.*

The New Parliament

The new Scottish Parliament is a gey different institution frae its auld ancestor. In the first place, it is democratically elected. Anither big chynge is that aroond forty per cent o the members are women. This is totally different frae the pre-1707 situation – nae women at aw – an compares weel wi Westminster an ither parliaments oot-throu the warld whaur women arena as weel representit.

The Members o the Scottish Parliament (or MSPs) are elected throu a system o proportional representation. There are a hunner an twenty-nine MSPs. There are seiventy-three *constituency* members, representin aw the different areas o Scotland, elected on the first-past-the-post system (the candidate wi mair votes nor ony ither candidate wins). The ither fifty-six members are *regional* members, elected on the addi-

Parliament in session in its temporary hame on the Mound

tional member system, yaisin leets o names frae the different political pairties. They are divided amang the eicht regions o Scotland yaised in European elections. Thus there are seiven regional MSPs elected for each region. It soonds mair complicated than it is: whit it means is that ivery person in Scotland is representit in the Parliament by yin constituency MSP an seiven regional MSPs. Ye can caw on the services o ony o thae if ye hae a problem that they can help ye wi, or if ye wish tae hae a maitter brocht up in the Parliament.

At an election, aw the voters vote twice – yince for the constituency MSP, yince for the regional MSPs. This balances oot the share o the vote, sae that the total vote cast in Scotland for each political pairty is proportionally reflectit in the nummer o MSPs each pairty has in Parliament. This is different frae the situation in the Westminster Parliament, whaur ainly the first-past-the-post system is yaised. There are arguments aboot which system is better or fairer, but the decision tae yaise a proportional representation system for the

Scottish Parliament wis yin o the main differences atween the 1999 plan an the 1979 plan for devolution.

A session o Parliament lasts fower years frae the date o an election. Efter fower years the Parliament has tae be dissolved an a new election taks place.

Whit the Parliament Can Deal Wi

Maist maitters o iveryday life are noo the responsibility o the Scottish Parliament. This is anither pynt o difference atween the 1999 plan an the 1979 yin. In 1979 they tried tae wark oot which pooers a Scottish Assembly should be alloued tae hae. In 1999 they thocht aboot it the ither wey roond: whit pooers should Westminster keep? It seems a sma difference, but it wis a mair positive approach tae bringin political pooer closer tae the people o Scotland.

Amang the maitters dealt wi by the Parliament in Embro are:

* health
* education
* local government
* social wark
* hoosin
* plannin
* tourism an economic development
* roads, bus policy, ports an herbours
* polis an fire services
* environment, naitural heritage, historic buildins, fermin, fushin, forestry
* sport
* the arts an culture

Amang the pooers reserved tae the UK Parliament in Lunnon are:

* foreign policy
* defence an national security
* bankin an finance
* immigration
* energy (coal, oil, gas, electric, nuclear)
* trade an industry
* railweys
* social security an employment law
* data protection
* abortion, genetics an vivisection
* equal opportunities
* braidcastin an the media

No iverybody is happy wi the wey these maitters hae been divided. The SNP, for example, think that *aw* these things should be dealt wi by a Parliament in a fully independent Scotland. But even members o the SNP maistly think the new Parliament is faur better nor haein nae Parliament at aw. Maist folk recognise that this division o responsibilities atween Embro an Westminster will tak some time tae settle doon, an it may be that further adjustments will need tae be made in the future. Efter aw, there are things aboot the railweys or the media o special interest tae Scotland, an if the Scottish people an their Parliament feel strangly enough that they should be discussin them, wha's gaun tae tell them they canna? At the end o the day, it's doon tae the people o Scotland tae decide.

Parliament an Executive

It's important tae mak a distinction atween the Parliament an the Executive. The *Executive* is the government o Scotland, formed by the largest pairty elected tae the Parliament. In the first election in 1999, nae single pairty wan enough seats tae form a government on its ain, sae the Executive wis a coalition atween the Labour an Liberal Democratic Pairties. The *Parliament's* job is tae scance an scrutinise whit the Executive is daein; tae debate the legislation it pits forrit; tae approve or oppose the Executive's policies; an tae mak shair that the views o the people that elected its MSPs are heard.

When Parliament meets, it elects yin o its members tae be the Presidin Officer (the equivalent o the auld Parliament's President). The Presidin Officer chairs meetins o the Parliament, decides whether the rules o business are bein keepit tae, an liaises atween the Parliament an ither governmental bodies, includin Westminster. He has twa deputies tae help wi this wark.

The Executive is led by the First Minister (the equivalent o the auld Parliament's Chancellor). The First Minister is formally appyntit by the Queen as Heid o State, an is responsible for appyntin the Executive's Ministers, dealin wi maitters like health or education. The first First Minister wis Donald Dewar, until his daith in 2000. He wis succeedit by Henry McLeish, until he resigned frae office in 2001 an wis succeedit by Jack McConnell.

The Executive's wark is cairried oot by a large nummer o civil servants (government employees), but the wark o the Parliament is supported by its ain staff. This is important: altho the Parliament's staff are civil servants tae, they are independent o the Executive, an sae canna be tellt whit tae dae by it.

Hoo the Parliament Warks

The Parliament's wark is done in ful meetins o aw the MSPs, an throu meetins o Committees, set up tae look at business in mair detail. When Parliament or its Committees convene, they are said tae be 'sittin', an the periods when they are warkin are cried 'sittin days'. When they arena meetin, Parliament is said tae be in 'recess'. The periods o recess tend tae conform tae when the country's schuils hae their holidays. Unlike Westminster, the Scottish Parliament's warkin week ettles tae fit in wi normal warkin oors. This is important for MSPs, especially women, that hae faimlies an cudna itherwise weel combine their political life wi their hame life.

At the end o ilka meetin o the Parliament MSPs vote on the questions they hae been colloguin ower that day. This is cried Decision Time. Jist as happened in the auld Parliament, members dinna leave the chaumer tae file throu lobbies tae vote (as they dae at Westminster). They vote whaur they're sittin. The ainly difference atween auld an new is that nooadays they yaise electronic buttons tae record their votes.

Forby the presentation o Bills (proposed policies that micht, if approved, eventually become Acts an thus laws o the land) by the Executive, individual MSPs an Committees can pit forrit Bills an aw. MSPs can speir questions o Executive Ministers, an the Ministers are obleeged tae gie them answers.

Much o the Parliament's wark is cairried oot by Committees. These hae atween five an fifteen MSPs in them, waled frae aw the political pairties. Some o the Committees, like the Standards Committee an Equal Opportunities Committee, keep an ee on hoo the Parliament is operatin an hoo its decisions are cairried oot in practice. Ithers exist tae scance particular subjects, like the Education, Culture an Sport Committee, or the Transport an Environment Committee.

The Committees mak reports an recommendations based on their findins, an hae the pooer tae summon onybody – a politician, a civil servant, or mibbe an ordinar citizen wi expertise in the subject, tae gie evidence as a witness.

In an effort tae involve as mony folk as possible in the political process, the Scottish Parliament has ettled tae mak itsel accessible an open in its proceedins. Yin o the weys it dis this is throu the yaise o Cross-Pairty Groups. These are like Committees forby that they hae nae pooer tae mak decisions or determine policy. But they are places whaur MSPs frae different pairties can meet tae discuss maitters o common interest, an whit's mair ony member o the public can be invited tae jyne sic a group. This gies folk a means o channellin their ain ideas intae the Parliament. At present there are aboot fifty Cross-Pairty Groups, wi interests like Animal Welfare, Cancer, Cyclin, Drug Misuse, Gaelic, an Nuclear Disarmament. There is a Cross-Pairty Group on the Scots Language.

This is jist a braid sketch o hoo the Parliament warks. It has a complex set of procedures but these are necessar tae ensure that awthing is done richt. A wealth o information can be fund on the Parliament's ain website. Here ye can doonload factfiles on its history an procedures, find oot wha yer MSPs are an hoo tae contact them, hoo tae visit the Parliament, an read special information aboot citizenship an whit the Parliament dis for young people. The site address is www.scottish.parliament.uk

Parliament's Future

The new Scottish Parliament has been in existence since 1999. It has come in for a fair bit o stick frae some newspapers an ither media commentators, an it hasna ayewis been weel thocht on by the general public. Tae an extent, this is because o a confusion o perception atween the Executive an the Parliament. In reality, the Parliament has achieved a lot in its first three year. Some forty new laws hae been made – mair nor wid iver hae been managed at Westminster – an mony ither issues o public policy hae been discussed. Maist folk noo recognise that the Parliament in Embro is faur mair relevant tae their daily lives nor Westminster.

Mibbe yin o the maist important things aboot the Parliament is that it has brocht real political debate an wi it real political responsibility back tae Scotland itsel. If ye're a Scottish politician nooadays, whether in Parliament or in a local cooncil, ye ken if ye dae something wrang it'll no be lang afore somebody finds ye oot. That's an improvement in the democratic process.

Anither result o haein the Parliament is that it's no sae easy tae girn an tae wyte Westminster or England when things gang agley. As Mrs Howden said in 1736, in Sir Walter Scott's novel *The Heart of Midlothian*, 'when we had Parliament-men o our ain, we could aye peeble them wi stanes when they werena gude bairns.'

We dinna hae tae hurl chuckies at oor MSPs the-day. If we dinna like whit they're daein we can tell them, an we can vote them oot at the nixt election!

Halyrood

The Scottish Parliament meets the noo at the Church o Scotland's Assembly Hall on the Mound in Embro, but this is jist a temporary hame for it. The Parliament will hae its permanent location at the fit o the Royal Mile, at Halyrood (or Holyrood).

The decision tae pit the Parliament here wis gey controversial. For maist o the 1980s an 1990s, folk assumed that the best place tae site ony Parliament that micht finally be achieved wid be on Calton Hill, in the auld Royal High Schuil buildins there. This had been whaur the Assembly, as envisaged back in 1979, wis gaun tae meet: a debatin chaumer had been pit in, but for the haill o the 1980s it lay toom an no yaised. Hooiver, efter the 1997 referendum, folk began tae speir whether this wid really be the best location. It emerged that there wis several options, baith Calton Hill an Halyrood bein amang them. There wis anither possible site in Leith an a fourth yin at Haymercat. Aw o thir sites wis considered an surveys cairried oot.

On 9 January 1998, Donald Dewar, then Secretary o State for Scotland, announced that the site at Halyrood, formerly occupied by Scottish & Newcastle Breweries, wid be whaur a brent-new buildin for Parliament wid be located.

Altho many folk were dumfoonert an disappyntit by this decision, there were some historical reasons for optin for Halyrood. King David I had foondit an abbey there in 1128, an in 1501 James IV biggit the palace nixt tae it that is noo kent as Holyroodhouse or Halyroodhoose – still yaised as a royal residence when the Queen visits Embro. The site includes the 17th-century Queensberry Hoose which wis whaur the Duke o Queensberry, a leadin figure in favour o

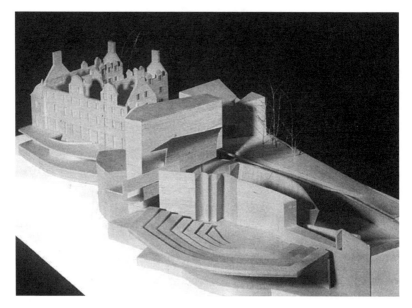

An architect's model o whit the new Parliament at Halyrood will look like

the Union in 1707, bade: it wis maist recently a geriatric hospital, closed in 1995. A brewery owned by William Younger first opened on the site in 1781 an for the nixt twa hunner year it grew tae be yin o the biggest breweries in Scotland. Brewin ended there in the 1950s but it remained the company heidquarters o Scottish & Newcastle till the 1990s. The location in the Auld Toun area o the city gied a strang link tae the pre-Union Parliament whase last hame wis on the Royal Mile nixt tae the Kirk o St Giles.

A competition tae redd up a design for the new Parliament wis wan in July 1998 by a Spainish architectural practice led by Enric Miralles an his wife Benedetta Tagliabue, warkin in pairtnership wi the Embro-based firm RMJM. The project had mony problems richt frae the ootset. The original estimate o the cost (aboot £50 million) wis suin realised tae be unrealistic, but the costs hae risen ower an ower again sinsyne. The present estimate o the final cost is £280 million. Mony MSPs hae been concerned aboot these risin costs an the haill maitter has been debated mair nor yince in Parliament. There were further complications wi the daith, frae a brain tumour, o Enric Miralles in July 2000, an, in October o that year, the daith o First Minister Donald Dewar. In 2001 the project manager resigned. Due tae these an ither complications the timetable for completion o the wark has skitit several times. At yin pynt it wis scheduled for December 2002 but noo mid-2003 wid seem tae be the earliest possible feenish date. A wheen mair information on the site, design, architects an costs o the project, includin the MSPs' debates, can be fund at the Parliament's website.

Scottish Monarchs an Some Key Events

Alexander I	**1107–24**
David I	**1124–53**
Malcolm IV	**1153–65**
William I 'The Lion'	**1165–1214**
Alexander II	**1214–49**
Alexander III	**1249–86**
John Balliol	**1292–96**
Battle o Stirling Brig	**1297**
William Wallace executed	**1305**
Robert I (the Bruce)	**1306–29**
Battle o Bannockburn	**1314**
Declaration o Arbroath	**1320**
David II	**1329–71**
Robert II (stert o the Stewart Dynasty)	**1371–90**
Robert III	**1390–1406**
James I	**1406–37**
James I returns frae captivity in England	**1424**
James II	**1437–60**
James III	**1460–88**
James IV	**1488–1513**
Battle o Flodden	**1513**
James V	**1513–42**
James V rules as an adult frae	**1528**
Mary	**1542–67**
The Reformation Parliament	**1560**
Mary returns frae France	**1561**
James VI (an I o England)	**1567–1625**
Execution o Mary in England	**1587**
Union o Croons	**1603**
Charles I	**1625–49**
National Covenant	**1638**
Civil war	**1639–46**
Charles I executed	**1649**

Charles II	**1649–85**
Occupation an rule o Scotland by Oliver Cromwell	**1651–58**
Restoration o the monarchy	**1660**
James VII (an II o England)	**1685–88**
Removal o James by revolution	**1688–89**
William (II o Scotland III o England) an Mary	**1689–94**
Battle o Killiecrankie	**1689**
Massacre o Glencoe	**1692**
William (alane)	**1694–1702**
Darien Scheme	**1698–1700**
Anne	**1702–14**
Union o Parliaments	**1707**
George I (stert o the Hanoverian dynasty)	**1714–27**
Battle o Sheriffmuir	**1715**
George II	**1727–60**
Battle o Culloden	**1746**
George III	**1760–1820**
Battle o Waterloo	**1815**
George IV	**1820–29**
William (III o Scotland, IV o England)	**1829–37**
Reform Act	**1832**
Victoria	**1837–1901**
Creation o the Scottish Office	**1885**
Edward ('VII')	**1901–10**
George V	**1910–36**
First Warld War	**1914–18**
Edward ('VIII')	**1936**
Edward abdicates	**1936**
George VI	**1936–52**
Saicont Warld War	**1939–45**
Elizabeth ('II')	**1952–**
Hamilton by-election	**1967**
First devolution referendum	**1979**
Saicont devolution referendum	**1997**
Scottish Parliament re-established	**1999**

Further Readin

Some o the aulder books in this leet are nae langer in prent, but can be still fund in some libraries:

Thorbjörn Campbell
Standing Witnesses: An Illustrated Guide to the Scottish Covenanters
(EDINBURGH, 1996)

Gordon Donaldson
Scottish Historical Documents
(GLASGOW, 1997)

Clyve Jones (ed.)
The Scots and Parliament
(EDINBURGH, 1996)

Sir David Lindsay
Ane Satyre of the Thrie Estaitis
(EDINBURGH, 1989)

Sir David Lindsay • *The 3 Estaites (The Millennium Version)*,
a new version by Alan Spence
(LEARNING TEACHING SCOTLAND, 2002)

James MacKinnon
The Constitutional History of Scotland from Early Times to the Reformation
(LONDON, 1924)

Robert S. Rait
The Parliaments of Scotland
(GLASGOW, 1924)

Pamela E. Ritchie
Mary of Guise in Scotland, 1548–1560: A Political Career
(EAST LINTON, 2002)

Walter Scott • *The Heart of Midlothian* (1818)

Walter Scott • *Rob Roy* (1817)

Roland Tanner • *The Late Medieval Scottish Parliament: Politics and the Three Estates 1424–1488*
(EAST LINTON, 2001)

C.S. Terry • *The Scottish Parliament: Its Constitution and Procedure 1603–1707*
(GLASGOW, 1905)

Louise Yeoman (ed.)
Reportage Scotland: History in the Making
(EDINBURGH, 2000)

John R. Young • *The Scottish Parliament 1639–1661*
(EDINBURGH, 1997)

Index